FRÉDÉRIQUE CORRE MONTAGU
SOLEDAD BRAVI

le cahier jeune maman
des paresseuses

MARABOUT

sommaire

introduction

« Waouh, qu'il est mimi ! Félicitations ! »
Eh bien maintenant, comme qui dirait, y a plus
qu'à… Y a plus qu'à l'aimer, le nourrir, le laver,
l'habiller, le soigner, le faire dormir, le calmer,
l'apaiser, l'éveiller, le câliner, le balader,
l'éduquer, lui apprendre à manger, marcher,
jouer… tout en ne vous oubliant pas dans
l'affaire. Un sacré challenge que je vais vous
aider à relever grâce à ce cahier spécialement
conçu pour les jeunes mamans paresseuses.
Divisé en 24 thématiques, il couvre tous
les petits et les grands événements que vous
allez vivre avec, ou sans, votre bébé pendant
les 12 prochains mois.

Succinct, pratique, ce cahier a été conçu comme
une boîte à outils dans laquelle vous pourrez
piocher au gré de vos besoins et de vos envies
avec notamment plein de conseils, de listes,
de tableaux, de schémas et d'encadrés
pour trouver d'un simple coup d'œil l'info
que vous cherchez.

Ici, point ou peu de généralités, mais du concret
et de l'ultra-pratique saupoudré de psycho
pour vous aider à mieux comprendre ce qui
se passe dans votre petite tête. Autrement dit,
c'est le complément astucieux et ludique du
guide Jeune maman et paresseuse que vous
connaissez peut-être déjà. Mais ce n'est pas tout.
Il y a aussi en cadeau Bonux, quelques pages
rien que pour le papa, et bien sûr, la fameuse
« Paresseuse's touch », un doux mélange
d'humour, de légèreté et de débrouillardise
qui va vous faire du bien, beaucoup de bien.

Alors souriez ! Tout va bien se passer.

chères lectrices,
vous allez voir
que je n'ai dessiné
que des filles minces
et jolies…
peut-être auriez-
vous préféré
que je montre
la réalité : des
cernes, du bide,
les seins méga
tendus et le
cheveu mou …

Hum
…

HUM
…

← HUM
…

← HUM
…

c'est un parti-pris
je l'assume.

SOLEDAD

→ Sus aux mythes !

Petit exercice pour vous mettre en mode « jeune maman paresseuse »  Pour tordre le cou aux mythes qui grignotent le moral car ils donnent un modèle de famille ovniesque totalement inatteignable, je vous propose de larder le dessin ci-contre de fléchettes ou d'en faire des boulettes et de les enfoncer dans les narines d'une mère-parfaite-donneuse-de-leçons (si, si, vous allez en rencontrer... avant sa cure en clinique du sommeil). Bref, d'en faire n'importe quoi qui puisse vous soulager et vous faire reprendre pied dans la réalité, version paresseuse !

Toute ressemblance avec une famille de stars est totalement volontaire.

La 8ᴇ MERVEILLE DU MONDE

Collez ici vos premières photos de jeune maman avec votre bébé.

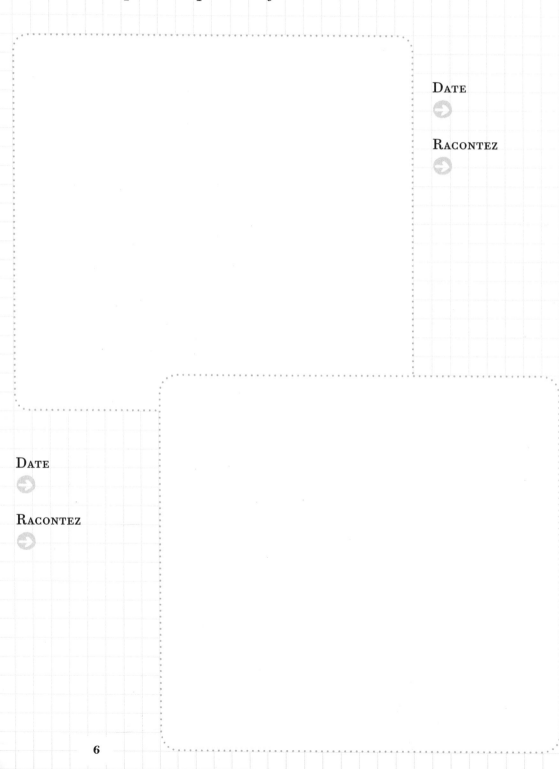

DATE

RACONTEZ

DATE

RACONTEZ

LA FICHE D'IDENTITÉ DE BÉBÉ

Pour être sûre de ne rien oublier...

SES PRÉNOMS :

LES PRÉNOMS QU'IL AURAIT PU PORTER :

SA DATE DE NAISSANCE :

SON HEURE DE NAISSANCE :

LE TEMPS QU'IL A MIS À VENIR :

COMMENT ÇA S'EST PASSÉ ?

SON POIDS :

SA TAILLE :

SES CHEVEUX :

À QUI RESSEMBLE-T-IL ?

VOS PREMIÈRES IMPRESSIONS EN LE VOYANT :

Un bébé, ça mange énormément !

Et ce n'est pas toujours facile de s'y retrouver, surtout quand on jongle d'un sein à l'autre ou entre plusieurs donneurs de biberon. Alors, voici de quoi vous aider à vous y retrouver.

L'allaitement au sein ➜ Si vous allaitez, aidez-vous de ce tableau pour pouvoir répondre sans hésiter à la sempiternelle question : « Par quel sein j'ai commencé la dernière fois ? »... avec une colonne spéciale pour noter quand et comment ça ressort...

Jour	Heure	1er sein	Durée	2e sein	Durée	Selles	
						Heure	Aspect
		G • D		G • D			
		G • D		G • D			
		G • D		G • D			
		G • D		G • D			
		G • D		G • D			
		G • D		G • D			
		G • D		G • D			
		G • D		G • D			
		G • D		G • D			
		G • D		G • D			
		G • D		G • D			
		G • D		G • D			
		G • D		G • D			
		G • D		G • D			
		G • D		G • D			
		G • D		G • D			
		G • D		G • D			
		G • D		G • D			
		G • D		G • D			
		G • D		G • D			
		G • D		G • D			
		G • D		G • D			
		G • D		G • D			
		G • D		G • D			
		G • D		G • D			
		G • D		G • D			
		G • D		G • D			

Le biberon ➡ Vous avez opté pour le biberon ?
Il n'y a pas de raison que vous n'ayez pas aussi votre petit tableau. Le voici :

Jour	Heure	Quantité	Durée	Selles	
				Heure	Aspect

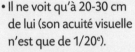 LE DÉVELOPPEMENT DE BÉBÉ

Alors, alors ? Quand va-t-il ressembler à un bébé Cadum ? Faire ses nuits ?
Rire aux éclats ? Être subjugué par les magnifiques couleurs de son doudou ?
Voici toutes les réponses à vos questions, et bien plus encore.

Naissance	3 semaines	3 mois
Bébé est encore un fœtus.	Bébé est un nourrisson.	

Naissance

- Il ne voit qu'à 20-30 cm de lui (son acuité visuelle n'est que de 1/20ᵉ).

- Il aime les sons graves et doux.

- Il reste dans la position où on le couche.

- Il aime être au calme, et quand il y a trop de bruit ou d'agitation autour de lui, il se « renferme dans sa bulle » et dort.

- Il sursaute parfois, paniqué par le vide autour de lui (réflexe de Moro).

- Ses journées sont rythmées par le sommeil et la faim.

3 semaines

- Il a des petits boutons sur la peau.

- Il a des troubles digestifs : constipation, coliques.

- Il pleure souvent (et beaucoup) en fin de journée.

- Il est d'humeur très fluctuante, rythmée par la faim, la fatigue, l'inconfort ou la douleur.

- Il a un gros besoin de réconfort.

- Il reconnaît votre visage et celui des personnes qui s'en occupent souvent.

- Il ne fait pas de comédies.

- Il a de véritables fringales (parce qu'il est en pleine poussée de croissance).

3 mois

- Arrêt quasiment spontané (et miraculeux) de tous les problèmes précédents : constipation, coliques, pleurs du soir.

- Il distingue de gros objets (son acuité visuelle est de 1/10)

- Il reconnaît certains visages et certaines voix.

- Il observe beaucoup.

- Il essaie de contrôler ses mains.

- Il fait des vocalises.

- Il sourit de façon volontaire.

- Il contrôle mieux sa tête.

- Il « pousse » sur ses bras et ses jambes.

- Il commence à se caler sur un rythme « normal » et peut-être à faire ses nuits (enfin, des nuits de 7-8 heures mais c'est déjà énorme).

Bébé ressemble enfin aux bébés des pubs.

Bébé prend (déjà) son indépendance.

6 mois

- voit les petits objets et les couleurs ranches (acuité visuelle : 2/10e).

- entend les mêmes sons que vous.

- tourne la tête vers la ource d'un bruit.

- rit aux éclats.

- Quand il ne voit plus un objet, le cherche.

- veut faire de vrais epas comme vous.

- commence à éprouver es sentiments élaborés : olère, amusement, jalousie, ie, frustration.

- roule sur lui-même t bouge la nuit.

- se tient assis tout seul.

- attrape et manipule es tas d'objets.

- tend les bras pour qu'on le porte.

- commence à jouer seul.

- adore jouer dans son bain.

- répète des sons simples.

- t non, il ne fait pas encore de roller.

9 mois

- Il réagit à son prénom.

- Il boude quand vous partez (ou quand vous revenez).

- Il a peur des étrangers.

- Il commence à se déplacer.

- Il applaudit.

- Il fait « au revoir » avec la main.

- Il essaie de manger tout seul (tous aux abris !!!).

- Il adore jouer à cache-cache.

- Il commence à comprendre le fonctionnement de certains objets.

⚠ AVERTISSEMENT

Chaque bébé se développant à son rythme, les repères d'âge sont donnés à titre indicatif. En revanche, les grosses galères du début sont bel et bien finies à 3 mois. Alléluia, mes sœurs, alléluia !

1 an

- Il voit 8 fois mieux qu'à la naissance.

- Il distingue les tons pastel mais pas encore les reliefs.

- Il vient quand on l'appelle d'une autre pièce.

- Il montre du doigt : un objet, un endroit où il veut aller...

- Il boit son biberon ou mange un biscuit tout seul.

- Il fait oui ou non (enfin, surtout non) de la tête.

- Il rampe, marche, grimpe, trottine partout.

- Il galope (sur deux ou quatre pattes) après un ballon.

- Il aime construire et surtout...démolir !!!

- Il comprend des mots simples : « tiens », « donne », « bravo », « câlin ».

- Il dit « papa » (mais pas encore « maman »).

- Il commence à faire des phrases simples : « Lou doudou ? » (= « Il est où, doudou ? »).

chapitre

AU RETOUR CHEZ TOI, TU SURVIVRAS

•

*Le retour à la maison peut être une expérience
aussi merveilleuse que cauchemardesque,
car en plus de devoir vous occuper d'un tout petit
bébé que vous commencez à peine à connaître,
il va falloir gérer tout le reste. L'idée,
c'est d'arriver dans une maison toute prête
pour éviter le chaos et les crises de nerfs…*

✳ *Anticipez*

Ça y est, ils vont vous lâcher dans la nature incessamment sous peu avec votre bébé dans les bras. Peste du fou fieffé, mais c'est que vous êtes tout sauf au point... et fatiguée, si fatiguée ! Alors, au lieu de vous noyer dans de longs bla-bla, consultez la liste ci-jointe pour être sûre de n'avoir rien oublié.

✚ TRUC DE PARESSEUSE

Si vous donnez le bib', profitez de votre séjour à la maternité pour en chiper quelques-uns tout prêts et avoir de quoi tenir 48 heures à votre retour à la maison.

LE MATÉRIEL DE BASE POUR ACCUEILLIR BÉBÉ

- Un siège coque 0+ ou une nacelle pour la voiture
- Le châssis du siège coque ou de la nacelle
- Un couffin, un berceau ou un lit (avec un matelas adapté)
- Une table à langer avec un espace de rangement à portée de main
- Un écoute-bébé (s'il dort loin, très loin de vous ou si c'est ce dont vous avez besoin pour pouvoir le faire dormir dans sa chambre sans trop angoisser)
- Un éclairage doux pour pouvoir intervenir la nuit sans tout illuminer
- 2 protège-matelas imperméables doublés de coton
- 2 draps-housses
- 2 turbulettes (ou gigoteuses)
- 1 petite couverture en polaire à border bien serrée sur lui s'il fait froid ou dans laquelle l'emmailloter en cas de besoin
- 1 petite baignoire en plastique
- De quoi le laver (voir p. 52)
- Des couches (à sa taille !)
- De quoi l'habiller (voir p. 56)
- Tout le matériel « allaitement », que ce soit au sein (voir p. 16) ou au biberon (voir p. 20)
- Un porte-bébé
- Des tétines

LA CHECK-LIST D'UN RETOUR RÉUSSI

- Des placards, un frigo et un congélateur pleins de trucs faciles à manger (avec, si possible, des bons petits plats maison en parts individuelles)
- Les travaux finis
- Le ménage et le rangement faits à fond
- Le coin, ou la chambre, de bébé installé
- Le papa à vos côtés (vive le congé de paternité !)
- Un coup de main pour gérer l'aîné (allô maman, allô sœurette...)
- Pas de déménagement prévu avant... pfff... au moins 1 an !
- Tout le matériel indispensable pour bébé (voir page précédente)

❉ *Concentrez-vous sur l'essentiel*

L'essentiel, quand on rentre chez soi, c'est d'arriver à « apprivoiser » son bébé, à le comprendre, car, comme vous l'aurez sans doute remarqué, le stage de formation est du genre express et dans un demi-coma de surcroît. Donc, entre les essais de position pour l'allaiter ou le dosage des biberons, le bain et autres soins, il va falloir que le reste roule sans vous. Quitte à embaucher de la main-d'œuvre : le papa, les parents, les beaux-parents, les copines, la voisine, à qui vous donnerez la check-list ci-contre.

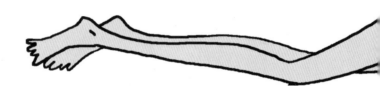

✚ TRUC DE PARESSEUSE

Notez tous les numéros de téléphone utiles sur un tableau dans la cuisine ou une feuille aimantée sur le frigo : maternité, PMI, médecin, pédiatre, sans oublier celui de votre copine Céline qui en est à son 3e bambin et qui a ce truc que vous aimeriez tant avoir avec les bébés.

Et pour vous, comment s'est passée cette première semaine ? Qu'est-ce qui vous a sauvé la vie ?

POUR LE PLAISIR…

Voici en bonus la liste de naissance dont toutes les jeunes mamans paresseuses rêvent.
On ne sait jamais, ça peut donner des idées à votre entourage (et c'est mieux qu'un camion de pompier qui se met en marche tout seul, toutes sirènes hurlantes, ou un maxi-tee-shirt marqué « C'était pour le mois dernier »).

- Une vraie nuit
- Une bassine de margarita
- Un week-end thalasso entre copines
- Une femme de ménage
- Des seins qui marchent d'un coup
- Un bon tajine
- 20 kg en moins
- François Vincentelli tout nu dans la cuisine (googlez, vous comprendrez…)

BIEN VIVRE L'ALLAITEMENT, TU ESSAIERAS

*Ce n'est pas parce qu'allaiter est naturel que ça vient
d'un coup. C'était peut-être le cas en l'an 0
de l'humanité, survie de l'espèce oblige, mais en 2012,
ce n'est pas si évident que ça. Il faut toute
une conjonction de facteurs pour que ça marche,
dont certains ne dépendent pas de vous.
En général, il faut un mois pour trouver
un rythme de croisière et trois pour que ça devienne
si « naturel » qu'on ne veut plus arrêter !*

✳ *Patience et persévérance : les deux mamelles d'un allaitement réussi !*

La montée de lait arrive 3 ou 4 jours après l'accouchement, c'est-à-dire pile poil en plein baby blues. Donc, oui, vous allez pleurer ! Mais ça va passer. Dans la série « mauvaises nouvelles », vous allez aussi certainement avoir mal, vous énerver, en vouloir à votre bébé, sans parler du sacro-saint flip de la prise de poids (la sienne, pas la vôtre). Et puis, il y a les conseils contradictoires des unes et des autres... De quoi s'y perdre et passer une commande express de biberons. Alors choisissez une « référente » et n'écoutez plus qu'elle, faites plusieurs essais, testez plusieurs techniques. Et surtout, surtout, ne vous mettez pas la pression. Vous allez finir par y arriver. Sinon, n'oubliez pas : il existe un autre truc génial pour nourrir les bébés. Le biberon.

✚ UNE PARESSEUSE AVERTIE EN VAUT DEUX

En attendant que le « vrai » lait arrive, votre bébé va boire un liquide hyperconcentré contenant des tas de bonnes choses : le colostrum. Donc s'il ne boit pas beaucoup, ce n'est pas grave. AUTRE CHOSE IMPORTANTE À SAVOIR : la production de lait met une quinzaine de jours à se régler et à se stabiliser (avec une baisse passagère vers le 10e jour).

CE QU'IL VOUS FAUT POUR ALLAITER

- 2 soutiens-gorge d'allaitement à la nouvelle taille de vos seins
- Des coquilles
- Des coussinets
- Des protège-mamelons
- Une crème anticrevasses
- Un tire-lait
- Des vêtements qui s'ouvrent par devant ou qui se superposent pour allaiter en toute discrétion
- Des bavoirs, serviettes, torchons, langes pour vous protéger de la tête aux pieds

⊙ ⊙ ⊙

→ 48 h au réfrigérateur
→ 4 mois au congélateur

Il se congèle aussi très bien. Donc n'hésitez pas à en faire des stocks pour passer le relais ou vous dépanner en cas de besoin.

✳ Les meilleurs trucs pour y arriver

Asseyez-vous dans un endroit confortable avec votre bébé dans les bras, redressez-vous bien et amenez votre bébé vers votre sein, et non l'inverse. Placez-le de façon à ce que son menton soit appuyé contre le bas de votre sein et que votre téton soit dirigé vers son palais. Pour éviter les tendinites, pensez à vous caler avec des oreillers, à utiliser un porte-bébé latéral ou à vous faire offrir un coussin d'allaitement (en voilà un vrai cadeau de naissance utile !). Une autre position très prisée par les jeunes mamans paresseuses est la position allongée : le corps face à celui de bébé, tous les deux bien calés avec des oreillers. Et plus tard, vous pourrez essayer des positions plus élaborées comme celle du « ballon de rugby » : hop, je te prends sous le bras et c'est l'essai… transformé direct. Et je parie qu'un jour, vous y arriverez les yeux fermés et sans les mains !

chut, chut, calme toi, je te mets juste une petite serviette

✚ TRUC DE PARESSEUSE

Si vous tenez à vos mamelons, ne les retirez pas d'un coup de la bouche de bébé : glissez d'abord le petit doigt pour les libérer.

✳ *Les meilleurs trucs pour vous soulager*

Car oui, ça va certainement faire mal. Du moins au début, le temps que vous trouviez le « truc ». En attendant, vos deux meilleurs alliés sont le chaud ou le froid. À vous de voir ce qui vous soulage le mieux. Si c'est la chaleur, pensez gants de toilette chauds ou bouillotte sèche (= sac de blé ou de noyaux de cerises réchauffé au micro-ondes) sur les seins. Autre option : les masser sous la douche pour faire sortir l'excédent de lait mais pas trop, sinon ça aura l'effet inverse (ça augmentera la production de lait). Si votre truc à vous, c'est le froid, pensez sachet de gel mou réfrigérant, type Icepak®. Sinon, dans le genre hippie chic, il y a les feuilles de chou qui sont paraît-il très efficaces pour empêcher les seins de s'engorger et pour tenir le papa à distance !

➡ TRUC DE PARESSEUSE

Au début, allaitez souvent pour lancer la production de lait. Le rythme courant ? 10 à 12 tétées par 24 heures. Eh oui, c'est du plein-temps !

🔄 *Collez ici une photo de vous allaitant bébé.*

LE BIBERON, SANS CULPABILISER, TU DONNERAS

L'allaitement au sein a fait un grand retour en force ces dernières années, car oui, c'est vrai, il n'y a rien de mieux que le lait maternel pour les bébés. Et puis en ces temps de crise écologique et économique, on a envie de donner le meilleur à son enfant… sans trop dépenser. Mais parfois, ça ne marche pas. Ou on n'en a pas envie. No problemo, il y a une autre solution : les laits infantiles.

CHECK-LIST DU MATÉRIEL NÉCESSAIRE

- 7 à 8 tétines de la même marque que celle utilisée à la maternité
- 7 à 8 grands biberons de la même marque que les tétines
- 1 petit biberon pour l'eau ou les médicaments
- Une dizaine de bavoirs
- 1 goupillon
- 1 stérilisateur spécial micro-ondes
- 1 chauffe-biberon express
- 2 boîtes de lait infantile
- De l'eau en bouteille adaptée aux nourrissons
- Des mains propres

✳ *Mais non, ce n'est pas grave*

Dans la rubrique « tordons le cou aux idées reçues », le biberon n'empêche pas d'avoir une relation intense avec son bébé, car on peut être aussi tendre, câline et subjuguée en lui donnant le biberon que le sein. Et puis surtout, ça fatigue moins car on passe le relais. Du coup, on est beaucoup plus zen et plus dispo que si on ne dormait que 6 heures (fragmentées) par jour depuis des semaines. Et ça, ça n'a pas de prix ! Autre bonne nouvelle : votre bébé ne sera pas non plus plus malingre, plus malade ou plus triste s'il boit du lait infantile... Parole de paresseuse élevée au biberon.

✚ UNE PARESSEUSE AVERTIE EN VAUT DEUX

Vous avez sûrement entendu parler de cette méchante bêbête présente dans les biberons en plastique : le bisphénol A (ou BPA), un perturbateur endocrinien dont on connaît encore mal les effets. Heureusement, les grandes marques de puériculture proposent proposent désormais des biberons et des tétines sans BPA.

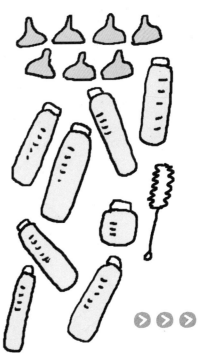

✳ Les quantités de lait âge par âge

Le gros avantage du biberon, c'est qu'on sait précisément ce que boit bébé. À la naissance, c'est quelques millilitres qui s'ajoutent progressivement les uns aux autres pour atteindre 90 ml à la fin de la première semaine. Ensuite, vous pouvez vous aider du tableau suivant en fonction de l'âge ou du poids de votre bébé.

Âge de bébé	Quantité d'eau par biberon en ml	Nombre de mesurettes	Nombre de biberons par 24 h	Poids de bébé en kg
0 à 1 mois	90	3	6	3,3
1 à 2 mois	120	4	6	4,2
2 à 3 mois	150	5	5	5
3 à 4 mois	180	6	4 ou 5	5,6
4 à 5 mois	210	7	4	6,3
5 à 6 mois	240	8	4	6,9

✚ Trucs de paresseuse

• Vérifiez régulièrement l'état des tétines car elles s'abîment très vite.
• Si bébé finit ses biberons plusieurs fois de suite jusqu'à la dernière goutte, c'est qu'il faut lui en donner plus.
• L'intervalle « réglementaire » entre les biberons étant de 2 h 30 à 4 heures, s'il suce votre doigt avec avidité, c'est qu'il a juste envie de téter.

❋ *Régurgis et gros rototos*

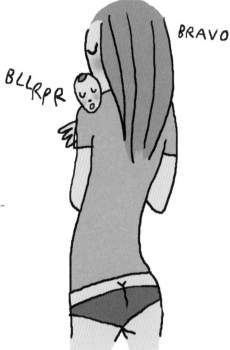

BRAVO

BLLRPR

Bien que parfois impressionnantes (genre « tout ressort en cascade par le nez »), les régurgitations ne sont pas graves et encore moins synonymes de reflux. C'est juste que la tétine coule trop vite / que bébé y met trop d'ardeur parce qu'il est affamé / qu'il boit plus que sa dose nécessaire. Dans ce cas, changez de tétine, faites-lui faire une pause en cours de tétée, ne le forcez pas à finir son biberon. L'appétit des bébés est comme celui des adultes : il varie. Ensuite, il faut évacuer le trop-plein d'air. C'est le fameux moment du rot. La technique la plus simple consiste à le redresser contre vous, la tête couchée sur votre épaule et à lui masser ou lui tapoter doucement le dos. Si le rot libérateur ne vient pas, faites les cent pas. Toujours rien ? C'est qu'il n'a probablement pas besoin de roter. Recouchez-le et s'il se met à pleurer, c'est que ce satané rot veut enfin sortir.

📷 *Collez ici une photo de vous donnant le bib' à bébé.*

chapitre

TON BÉBÉ, TU AIMERAS…

*En voyant votre bébé pour la première fois,
vous vous attendiez à ce que… tadaaaaaam !…
l'amour maternel explose en vous tel
le Grand Feu de Saint-Cloud… Il y a bien eu
un petit frémissement, mais de grandes
gerbes d'amour, point. C'était plutôt ambiance
pétards mouillés : il vous en a fait baver,
le petit chéri ! Surtout qu'il ne ressemble
ni de près ni de loin au bébé dont vous rêviez.
En plus, il dort et il pleure tout le temps.*

- La peau qui pèle
- La peau fripée
- Le teint jaune
- Une tête énorme
- Le crâne lisse ou au contraire archivelu
- Des croûtes sur la tête
- Des taches sur la peau
- Le menton tremblotant
- Des poils partout
- Des petits boutons
- Les yeux qui tournoient (et pas dans la même direction)
- Les yeux collés
- Des veines très apparentes
- Les jambes en guidon de vélo
- Le zizi et les tétons gonflés

Et j'en oublie certainement...

✳ Ce n'est pas un top model, et alors ?

Certes, vous vous doutiez que la pub était mensongère. Qu'il faudrait attendre quelques mois pour avoir les gros bourrelets, les jolies bouclettes et les yeux débordants d'amour. Mais franchement, vous ne vous attendiez pas à ce qu'il soit si petit, si rouge, si fripé, si... pas « top beau ». C'est normal. Il vient de sortir de votre ventre et n'a pas encore eu le temps de se faire une beauté. Autrement dit, c'est encore un fœtus et non un vrai bébé dans le sens dodu, lisse et souriant du terme. Tous les petits défauts que vous voyez vont disparaître au fil des jours et des semaines. Bref, vous avez peut-être enfanté le nouveau Camille Lacourt, mais là, il est encore en phase d'ébauche !

TRUCS DE PARESSEUSE

➜ Prenez le temps d'observer votre bébé. Ça vous aidera à mieux le comprendre, à décrypter ces fameux signaux dont on vous parle tant... et surtout à vous y attacher.

➜ Autre truc souverain pour créer le fameux lien mère-enfant : les mots doux, les sourires, les caresses et les câlins peau à peau. Que du bonheur !

✻ Et cet instinct maternel, il arrive quand ?

Vous pensiez qu'une fois que votre bébé serait sorti de votre ventre le plus dur serait fait, qu'instinctivement vous sauriez comment le manipuler, le comprendre, le soulager. Malheureusement, là encore, il y a comme un bug. Vous voilà empotée comme une poule devant un caméscope malgré les 12 millions de livres spécialisés que vous avez lus sur le sujet. Profitez de votre séjour à la maternité pour demander un maximum de conseils (quitte à prendre des notes) et n'hésitez pas à l'appeler en cas de problème ou d'interrogation quand vous serez rentrée chez vous. Trouvez-vous aussi un « référent » : un pédiatre, quelqu'un de la PMI, une amie, une tante qui a le bon sens dont vous pensez manquer, et n'écoutez plus que lui. Et puis, faites-vous un peu confiance. Il est là, cet instinct, caché quelque part. Et il ne demande qu'à venir.

✚ UNE PARESSEUSE AVERTIE EN VAUT DEUX

Trois ou quatre jours après l'accouchement, la production d'hormones de grossesse chute d'un coup. Ajoutez à cela une immense fatigue et vlan !, vous voilà la tête dans la boîte de Kleenex. C'est le fameux et quasi inévitable baby blues qui ne devrait durer que quelques jours.

✳ *Le baby blues à rallonge...*

Autant il est normal d'avoir un coup de mou et de doute après la naissance, autant vous devez réagir si cet état persiste ou survient quelques semaines après l'accouchement. Ne restez pas enfermée chez vous, avec votre culpabilité pour seule compagne. Il n'y a pas de honte à ça. Beaucoup de femmes sont passées par là, même si elles affichent la mine ravie d'une maman épanouie. Avoir un bébé est difficile, perturbant, épuisant. Mais peu de jeunes mamans osent l'avouer à leur entourage. Les professionnels connaissent bien ce phénomène appelé « dépression *post-partum* ». Alors n'hésitez pas à appeler votre médecin ou votre pédiatre pour lui en parler. Ils sauront vous aider.

tu m'épuises mais t'es vraiment très craquant ↙

➡ Trop craquant quand même...
Notez ici tout ce que vous aimez chez votre bébé.

5

DU RÉCONFORT,
TU LUI DONNERAS

*Si vous êtes un peu perdue, que dire
de votre bébé ! Après avoir passé 9 mois bien
au chaud dans votre ventre douillet,
il s'est retrouvé propulsé dans un monde
complètement inconnu avec des nouveaux
sons, des nouvelles odeurs et des sensations
parfois très désagréables. De quoi
déboussoler le plus charmant des bébés…*

✳ *Comme dans l'utérus…*

Les premières semaines, les bébés sont très différents de ceux des magazines ou des pubs à la télé. Alors, dites-vous que c'est plutôt un « fœtus à l'extérieur » en train de devenir un nourrisson, un petit être totalement perdu et vulnérable comme un bébé kangourou à la naissance. À défaut d'avoir une poche ventrale où il peut se réfugier, il faut donc recréer les conditions dans lesquelles il était dans votre ventre : à l'étroit, doucement bercé, suçant son pouce ou sa main, avec en fond sonore votre voix et les battements de votre cœur. C'est pourquoi certaines paresseuses finissent par vivre avec leur bébé blotti contre elles dans un porte-bébé. Sinon, pensez « emmaillotage », « bercements » dans son berceau ou son landau, « câlins peau à peau », « mots doux » et, en attendant qu'il puisse sucer son pouce, sa main ou un doudou.

▶ ▶ ▶

coincer le tissu sous son bras

coincer le tissu sous le dos

étape 3

étape 4

étape 5

étape 2

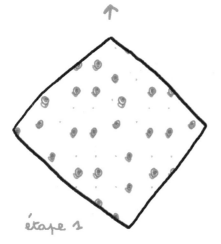

étape 1

✳ *Vraies ou fausses solutions ?*

Entre nous, on ferait n'importe quoi pour réconforter son bébé. Oui, mais voilà, certains de vos meilleurs amis peuvent devenir à long terme vos pires ennemis. Démonstration :

• la tétine car, à moins de la scotcher sur la bouche de bébé, elle va s'en détacher 10, 30, 1 000 fois par nuit ;

• le mobile musical, car il faudra se relever 10, 30, 1 000 fois la nuit pour le remonter ;

• bercer bébé dans son transat ou dans vos bras jusqu'à ce qu'il s'endorme, car vous allez passer 10, 30, 1 000 nuits dans un rocking-chair ;

• lui tenir la main jusqu'à ce qu'il s'endorme, car vous allez devenir son doudou ;

• lui faire faire le tour du pâté de maisons dans la voiture, car vous allez le faire 10, 30, 1 000 fois...

Bref, même si la fin justifie les moyens, réfléchissez à deux fois avant d'instaurer ce genre d'habitudes. Sinon, les doudous, c'est bien aussi... à condition qu'ils ne fassent pas la taille d'un bœuf et d'en avoir plusieurs du même modèle pour les faire tourner (si bébé accepte). Quant au pouce, partant du principe que tous les enfants finissent un jour ou l'autre avec un appareil dentaire dans la bouche, pourquoi vous en priver ? L'essentiel, c'est que bébé arrive à s'apaiser et à se sentir en sécurité tout seul.

❋ *L'emmaillotage expliqué aux paresseuses*

1. Prenez un grand tissu doux ou une couverture spécialement conçue à cet effet, qui a le mérite d'avoir un mode d'emploi.

2. Posez-le à plat, le côté le plus long dans la largeur.

3. Placez votre bébé dessus à 1/3 d'un bord.

4. Rabattez le tissu sur ses pieds, puis le pan de tissu le plus court sur son ventre en coinçant son bras dedans, et faites-le passer derrière son dos en serrant bien mais pas trop fort (un peu comme un McWrap).

5. Finissez de « l'emballer » avec l'autre pan de tissu en bloquant son second bras au passage. Glissez un coin de tissu sous un pli. Ne l'attachez surtout pas avec une épingle à nourrice !

Voilà, maintenant vous pouvez le suspendre à un clou au mur, comme Bécassine ! (Humour...)

⟶ Quels sont les gestes ou les objets de réconfort préférés de votre bébé ? Racontez...

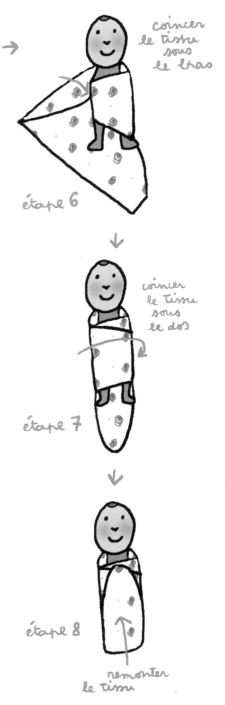

étape 6 — coincer le tissu sous le bras

étape 7 — coincer le tissu sous le dos

étape 8 — remonter le tissu

NE SURTOUT PAS LE FERMER AVEC UNE ÉPINGLE À NOURICE !

LES PREMIÈRES FOIS DE BÉBÉ

Comme la première année de bébé est aussi faite de petits et de grands bonheurs, collez ci-dessous une photo souvenir des grands moments des premières semaines.

Sa première sortie

DATE

RACONTEZ

DATE

RACONTEZ

Son premier sourire

Son premier jouet

Date

Racontez

Date

Racontez

Sa première vraie nuit

TES PEURS,
TU CALMERAS

·

*Quel bouleversement ! Vous voilà passée,
en l'espace de quelques heures, du stade d'ado
retardée au stade de jeune maman flippée.
En voyant l'extrême vulnérabilité de
votre bébé, vous avez senti d'un coup le poids
de la responsabilité vous écraser,
avec son lot de questions angoissantes.
Allons voir ça de ce pas !*

j'assure pas, j'suis nulle, nulle, NULLE !

UNE PARESSEUSE AVERTIE EN VAUT DEUX

➡ Des études récentes ont montré que les cale-bébés présentent des risques d'étouffement. Si votre bébé a besoin de se sentir à l'étroit et calé pour bien dormir, essayez plutôt de l'emmailloter ou de l'installer dans un petit couffin et non dans un grand lit.

tu t'es endormi, j'suis pas si nulle que ça

✳ *La peur de ne pas être une bonne mère*

DAu rayon des angoisses fraîches, il y a celle de ne pas être une bonne mère, voire une mère parfaite. À ce sujet, j'ai une bonne nouvelle pour vous. Vu le nombre de livres et de blogs qui traitent du sujet, on peut le dire, le mythe de la mère parfaite n'est plus en vogue. Alors, plutôt que de courir après un modèle biaisé source de grandes désillusions, essayez juste de faire de votre mieux en subvenant aux besoins de votre bébé : dormir, manger, être propre, avoir sa dose de câlins et d'échanges quotidiens (parlez-lui, même si vous avez l'impression qu'il ne comprend rien), se distraire (se promener, voir du monde, jouer...). Et en cas d'interrogations ou de craintes particulières, appelez votre mère, une amie, votre pédiatre, le médecin ou la PMI. Ça va bien se passer, pas de panique. Le truc, surtout au début, c'est d'arriver à dormir pour avoir la tête (à peu près) claire et garder votre capacité de raisonnement (à peu près) intacte.

ouh la !
Ce sont des
pleurs de
douleurs ?

... de faim ?

... de
sommeil ?

✳ S'habituer aux bruits de bébé

Aucun bébé n'est livré en parfait état de marche : yeux baladeurs, estomac sensible et poumons extra-neufs. C'est ce dernier point qui nous intéresse : les poumons. Comme toute bonne machine qui a besoin d'être rodée, ils sifflent, crachotent, hoquettent... Autant de bruits normaux pour un nouveau-né mais superangoissants pour les parents. Du coup, on est toujours à l'affût, redoutant le pire, c'est-à-dire la mort subite du nourrisson (MSN), pour ne pas la nommer. Quelques mesures simples devraient suffire à vous rassurer. D'abord, appliquez à la lettre les conseils de l'encadré de la page ci-contre. Puis, si bébé dort dans une pièce proche de votre chambre, coupez l'écoute-bébé. S'il a besoin de vous, il saura se faire entendre. Si c'est au-delà de vos forces et que vous vous épuisez à vous relever vingt fois par nuit pour voir s'il va bien, les premières semaines, faites du « room-sharing », c'est-à-dire faites-le dormir dans son couffin à côté de votre lit. Et mettez des boules Quies pour filtrer les bruits anodins !

✳ Va-t-on retrouver une vie normale ?

Tout dépend de ce que vous entendez par « normale ». Si c'est un rythme bien calé avec de vraies journées et de vraies nuits + une vie sociale et de couple, c'est oui, dans quelques mois, normalement. Si c'est l'insouciance, l'improvisation, le free-style, les fiestas à gogo et les trips sac à dos en Laponie, eh bien c'est oui aussi, mais dans plus longtemps, quand bébé sera grand et qu'il sera en vacances chez ses grands-parents ! Pour vous rassurer et même si vous avez l'impression d'être bloquée sur « pause » en ce moment, souvenez-vous que le temps passe très vite. Alors au lieu de vous lamenter, profitez-en.

t'as faim ?

t'as mal ?

t'as sommeil

dans le doute je commence par un câlin

Quels sont vos trucs pour vous rassurer ?

LES MESURES ANTI-MSN À APPLIQUER (ET FAIRE APPLIQUER) LES 6 PREMIERS MOIS

- Ne couchez pas directement bébé après la tétée.
- Faites dormir bébé sur le dos dans une turbulette.
- Ne mettez pas d'objets rembourrés dans son lit (oreiller, peluches, couette, couverture, tour de lit).
- Achetez ou faites-vous prêter un lit et son matelas aux normes de sécurité.
- Aérez régulièrement sa chambre.
- No clope, les potes.
- Baissez le chauffage de sa chambre (à 18-20 °C).
- Ne faites pas de cododo (autrement dit, ne le faites pas dormir dans votre lit).
- Ne siestez pas avec lui sur le canapé ou dans un fauteuil.
- Redoublez de vigilance en cas de rhume.

LA BONNE ORGANISATION, TU TROUVERAS

·

En des temps anciens mais pas si lointains que ça, les jeunes mamans étaient aidées par une armée de femmes qui briquaient la maison, faisaient mijoter un ragoût, battaient le linge dans la rivière pendant qu'elles se remettaient doucement sur pied. Alors que maintenant, pschitt, disparue la superéquipe, entre deux fêtes de fin d'année, un séminaire à Reykjavik et un tournoi de Pyramide. Il va donc falloir gérer à peu près tout, à peu près toute seule.

✳ *Focalisez-vous sur les vraies priorités*

Les toutes premières semaines, c'est assez simple. La priorité, c'est vous (surtout si vous allaitez) et votre bébé. Vous, dans le sens où vous devez dormir, bien manger, vous aérer, vous doucher (au moins un jour sur deux !). Et votre bébé, dans le sens « besoins primaires » : nourriture, sommeil, soins, câlins. Tout le reste, vous pouvez le bâcler ou le déléguer (à votre chéri, vos parents, vos beaux-parents, votre sœur, des amis...), à commencer par le repassage, le ménage et le rangement.

✳ *Baissez votre seuil de tolérance*

Si vous êtes du genre à empiler les magazines de déco à 2,7 cm du bord gauche de votre table basse en verre design, placée à 18,7 cm de votre canapé en cuir blanc où trônent trois coussins : un tourterelle, un vieux rose et un taupe (toujours dans cet ordre), laissez-moi vous dire quelque chose : vous allez souffrir. Et pas qu'un peu. Une vingtaine d'années, à vue de nez. Car les bébés, comme les enfants, ont une immense, extraordinaire même, capacité à mettre le bazar même si on s'évertue à tout benner dans leur chambre tous les soirs. Donc, plus vite vous lâcherez prise, moins vous souffrirez. Sauf si vous avez fait un beau mariage et que votre chéri vous a été livré avec une femme de chambre, une nourrice, quelques valets de pied, des servantes, un majordome, un jardinier, une cuisinière, une intendante... Sinon faites comme Kung-Fu Panda : trouvez la paix intérieure pour affronter, avec zénitude, votre pire ennemi : le grain de poussière.

TRUC DE PARESSEUSE

Si vous avez du mal à établir des priorités, appliquez le principe du « qu'est-ce qui est important, maintenant ? » et n'en dérogez pas.

TRUC DE PARESSEUSE

➡ C'est fou comme parfois un objet peut vous sauver la vie : un sèche-linge (qui évite la plupart du repassage), un aspirateur robot, une centrale vapeur... À emprunter, acheter ou se faire offrir.

il dort : j'me douche ˅

TRUCS DE PARESSEUSE

➡ Payez votre femme de ménage ou votre nounou avec des Chèques Emploi Service préfinancés pour récupérer sur vos impôts environ 50 % des sommes versées.

➡ Si l'état de votre intérieur dérange quelqu'un, tendez-lui un balai !

✱ *Dispatchez !*

Un peu plus tard, quand vous aurez trouvé un semblant de rythme, posez-vous quelques minutes avec votre chéri pour remplir et compléter les tableaux suivants, et décider de la suite des événements.

N.B. : *Notez votre temps moyen à vous et votre degré de priorité de 1 (ultra-bas) à 10 (ultra-haut) en sachant que c'est celui qui a mis la plus forte note qui s'y colle ou qui trouve une solution (ami, voisin, quelqu'un de la famille...). Autre précision : les temps moyens sont ceux d'un panel de paresseuses consultées spécialement pour l'occasion.*

MÉNAGE	Temps moyen par semaine	Votre temps moyen à vous	Degré de priorité VOUS	Degré de priorité LUI	Personne en charge
Petit coup de balai rapide	35 minutes				
Vaisselle	45 minutes				
Vider le lave-vaisselle	35 minutes				
Nettoyer la cuisine après les repas	2 h 20				
Aspiro dans toute la maison	30 minutes				
Poussière (rapide)	1 heure				
Baignoire / douche	15 minutes				
Toilettes	10 minutes				
Miroirs	10 minutes				
Changer les draps des lits	10 minutes				
Évier, lavabo	20 minutes				
Total heures par semaine	6 h 50				

N.B. : *Notez que j'ai zappé : faire les vitres, laver l'intérieur du frigo, battre les tapis...*

AUTRES TÂCHES	Temps moyen par semaine	Votre temps moyen à vous	Degré de priorité VOUS	Degré de priorité LUI	Personne en charge
Taxi (pour un autre enfant)	2 heures				
Trier, laver, plier, ranger le linge	1 h 30				
Repassage	1 heure				
Rangement	2 h 30				
Courses	2 h 30				
Cuisine	4 h 30				
Papiers, comptes, autres démarches	1 h 30				
Total heures par semaine	15 h 30				

Et vous, comment vous êtes-vous organisée ?
Quelle a été votre aide la plus précieuse ?

il est calme dans son transat, je lance une machine

chapitre

8

À LA FATIGUE,
TU NE SUCCOMBERAS PAS

•

*Imaginez qu'après avoir fait une rando
en montagne de 9 mois doublée d'un marathon,
on vous demande de dormir de quatre
à six heures par jour comme un marin solitaire,
tout en produisant et distribuant du lait
à la demande ? Il y en a qui se mettraient
en grève pour moins que ça, non ? Et pourtant,
c'est le défi que toute jeune maman doit relever
après la grossesse et la naissance de son bébé.
Voici comment tenir le choc, tant bien que mal.*

SERVICE LIVRAISON

➲ Demandez à vos visiteurs de vous apporter de bons petits plats en lieu et place d'une 133e peluche pour bébé.

➲ Investissez dans un cuit-vapeur avec minuteur. Ça cuit tout sans surveillance en un minimum de temps, et c'est savoureux !

✳ *Refaites le plein d'énergie*

Vous comprenez maintenant pourquoi vous êtes fatiguée ? On le serait à moins. Finalement, le plus dur est passé. Il ne reste plus qu'à gérer la fatigue qui va continuer à s'accumuler pendant un certain temps. Pour tenir le coup, il faut manger, et autre chose que les restes de l'aîné ou des croûtons de pain sec, notamment si vous allaitez. Voici la liste de courses idéale, car elle allie « simplicité et rapidité de préparation » et « haute valeur nutritive ».

• **Rayon surgelés** : brocolis, filets de saumon, épinards à la crème.

• **Rayon frais** : yaourts nature à boire, œufs, parmesan.

• **Rayon en-cas** : chocolat noir, barres de céréales, compotes en tube allégées en sucre, craquelins ou galettes de céréales bio, flocons d'avoine.

• **Rayon conserves** : thon, sardines, haricots blancs.

• **Rayon fruits et légumes** : bananes, tomates cerises, kiwis, fruits secs, pistaches, noix du Brésil, graines de tournesol.

• **Rayon produits céréaliers** : pâtes et/ou riz complets, pain complet, lentilles orange (qui cuisent très vite).

• **Rayon condiments** : huile d'olive et huile de colza.

Et, pour le régime, vous repasserez dans quelques mois...

LES BONNES IDÉES POUR SE REPOSER

- Interdisez les visites à l'improviste et limitez les visites tout court.
- Débranchez ou éteignez le téléphone.
- Achetez des boules Quies (elles filtreront les bruits de fond mais pas les pleurs de bébé).
- Ne buvez pas de café ni d'autres excitants, mais buvez du thé déthéiné.
- Concentrez-vous sur vos priorités : vous occuper de votre bébé et dormir (le reste, c'est peanuts à côté).
- Si vous allaitez, tirez votre lait pour pouvoir être remplacée et faire une vraie nuit de temps en temps (quitte à le congeler dans des sachets spéciaux, voir p.16).

il dort,
je dors.

(Non, vous n'avez rien
d'autre à faire !)

Bonjour Madame la boulangère

✳ *Reposez-vous !*

« Dormez dès que vous le pouvez », vous dit-on. Oui, mais le temps de plier trois bodys, de vider le lave-vaisselle et de regarder vos mails, il est déjà l'heure de la tétée ou de la visite de tata Huguette. Eh bien justement, zappez tout ça. Sitôt bébé couché, foncez dans votre lit, l'esprit concentré sur votre objectif (dormir) et non sur le bazar qui s'accumule. C'est tout sauf votre priorité du moment. Et, si le soir, vous êtes tellement sur les nerfs que vous mettez au moins deux heures à trouver le sommeil, faites comme pour votre bébé : instaurez un rituel pour décompresser. Là, point de gros câlin et de chanson douce (quoique), mais un bain chaud, un bon bouquin, une tisane, des boules Quies et interdiction formelle de vous déranger.

✳ *Sortez de chez vous*

Ça peut paraître contradictoire avec ce qui précède, mais détrompez-vous. En sortant un peu chaque jour, vous vous reconnecterez avec la vraie vie et les vrais gens (même si ce n'est que la boulangère et le facteur). Et puis, ça vous fera vous dépenser un peu, donc vous fatiguer, mais avec de la bonne fatigue qui fait dormir profondément. Et surtout, ça vous fera voir le soleil, le meilleur et le plus naturel des boosters d'énergie ! Effet bonne mine garanti.

TRUC DE PARESSEUSE

Besoin de tricher pour une occasion particulière ? Un shampoing, un petit coup de touche éclat, un rapide brossage de sourcils, une touche de mascara sur les cils et un peu de gloss sur les lèvres, un gros bijou près du visage, un top flashy et, hop, le tour est joué.

Et vous, comment avez-vous fait pour gérer la fatigue des premières semaines ?

La règle d'or, vous la connaissez : il faut manger varié, pas trop gras, sucré ou salé. Quel scoop ! Mais quand on vient d'avoir un bébé et surtout qu'on l'allaite, on aussi de gros besoins en : → calcium et vitamine D, magnésium, zinc pour bien l'absorber ; → fer et vitamine C pour retrouver énergie et chevelure de rêve (après l'inévitable chute de cheveux post-grossesse). Nous avons tout rassemblé dans ce tableau, avec, surlignés en beige, nos aliments chouchou pour leur valeur nutritive ou leur côté pratique.

Légumes	À surveiller	Calcium	Vitamine D	Magnésium	Zinc	Fer	Vitamine C	Petit plus
Artichaut	x	x	x		x	x		Il est plus riche en calcium que la plupart des légumes.
Avocat			x	x	x	x		Il est riche en « bon gras » et facile à manger.
Betterave		x	x	x	x	x		À acheter déjà cuite.
Brocoli	x	x	x	x	x	x	x	Il est très riche en calcium et en vitamine C.
Carotte		x	x			x		Se mange d'une main une fois pelée.
Chou vert	x	x	x			x	x	Intéressant nutritionnellement, mais galère à préparer.
Chou-fleur	x	x	x	x	x	x	x	Excellent cru (et bien lavé).
Concombre		x	x	x	x			À peler et déguster tel que.
Courgette		x	x					Excellente crue en bâtonnets ou en petits cubes.
Cresson		x				x		À acheter sous forme de potage congelé.
Épinards		x	x		x	x		À acheter surgelés.
Fenouil		x	x				x	Très riche en vitamine C. À consommer cru.
Haricots blancs	x	x	x		x			En conserve, déjà préparés.
Haricots verts		x	x	x	x	x	x	À acheter surgelés.
Laitue		x	x	x	x	x		Pas en sachet !!!
Lentilles		x	x	x	x			Beaucoup plus riches en fer que les épinards.
Maïs en conserve			x	x	x			Pour compléter une petite salade sur le pouce.
Oignon		x				x		À ne pas oublier le jour où vous cuisinez !
Petits pois		x	x	x	x	x	x	Se préparent très vite (merci, les conserves).
Pois chiches		x	x	x	x			Prenez-les en conserve, rincez-les et, hop, c'est prêt.
Poivron	x	x	x	x	x	x	x	Les jaunes et les rouges sont plus digestes.
Pomme de terre			x	x	x	x		Elles sont très riches en magnésium.
Potiron		x	x	x	x	x	x	À acheter sous forme de purée congelée.
Tomate			x			x		À grignoter sur le pouce.

☘ LES BONNES PROPORTIONS PAR REPAS

• 50 % de fruits et légumes. • 25 % de protéines (viande, poisson, légumineuses). • 25 % de féculents ou produits céréaliers. • Une lichette d'huile (bio, de préférence). • Beaucoup d'eau.

Catégorie	Aliment	A surveiller	Calcium	Vitamine D	Magnésium	Zinc	Fer	Vitamine C	Petit plus
Fruits	Abricot		x		x	x	x	x	Secs, ils sont encore plus riches en tout.
Fruits	Banane			x				x	Top pratique à manger et top énergétique.
Fruits	Cerises		x			x	x	x	Top pratiques à manger.
Fruits	Dattes sèches				x	x	x	x	Un petit coup de barre, une datte et ça repart.
Fruits	Fraises		x			x	x	x	Elles sont très riches en vitamine C.
Fruits	Fruits à coque	x	x		x	x	x		Les plus riches en tout ? Les amandes.
Fruits	Gingembre confit						x	x	L'équivalent naturel des compléments alimentaires.
Fruits	Kiwi		x		x	x	x	x	Très riche en vitamine C.
Fruits	Mangue						x	x	Pour remplacer les agrumes si bébé ne les apprécie pas.
Fruits	Orange	x	x		x		x	x	Intéressante pour son taux de calcium et de vitamine C.
Fruits	Pêche				x	x	x	x	Elle a un taux de vitamine C très élevé pour un fruit d'été.
Fruits	Poire		x		x	x	x	x	Nutritionnellement plus intéressante que la pomme.
Fruits	Raisin		x		x		x	x	À grignoter en-cas.
Fruits	Sésame		x		x	x	x	x	À parsemer sur tout : salades, pâtes, etc.
Protéines*	Bœuf				x	x			À faire en grillade pour limiter les matières grasses.
Protéines*	Boudin noir				x		x		Un véritable coup de fouet pour l'organisme.
Protéines*	Flétan				x				Du sauvage, cuit au four.
Protéines*	Foie			x	x		x	x	Le champion toute catégorie de teneur en fer.
Protéines*	Jambon blanc				x				En plus d'être peu calorique, il peut se manger d'une main.
Protéines*	Lapin						x		Il est moins gras et plus riche en fer que le bœuf.
Protéines*	Maquereau en conserve			x			x		Top pratique à manger.
Protéines*	Œuf		x	x	x	x	x		À durcir et manger d'une main.
Protéines*	Poulet				x	x			Peut se manger froid (et d'une main).
Protéines*	Sardines en conserve		x	x			x		Très riches en calcium, elles sont très faciles à manger.
Protéines*	Saumon			x			x		En alternant le sauvage et celui d'élevage.
Protéines*	Thon en conserve						x		Top pratique à manger.
Laitages	Beurre	x							À doses homéopathiques.
Laitages	Édam/gouda	x	x						Intéressants car peu gras.
Laitages	Fromage blanc 20 %	x	x						À consommer nature.
Laitages	Fromage frais	x	x						Le top, nutritionnellement parlant ? La ricotta.
Laitages	Gruyère	x	x						Un grand classique top bon pour tout.
Laitages	Lait	x	x						De préférence bio et demi-écrémé.
Laitages	Parmesan	x	x						C'est l'un des fromages les plus riches en calcium.
Laitages	Yaourt nature	x	x						Au moins un par jour (surtout si vous ne buvez pas de lait).
Céréales	Céréales complètes				x	x	x	x	Elles cuisent en quelques minutes.
Céréales	Riz complet				x		x		Indispensable pour tenir le coup.
Céréales	Tortillas de maïs	x							À grignoter avec des crudités et un morceau de poulet.
Divers	Céréales de pt déj	x			x	x	x	x	Genre muesli non sucré et pas carrés fourrés au chocolat.
Divers	Chocolat extra-noir				x	x	x		Le champion toute catégorie pour le magnésium.
Divers	Jus de fruits	x						x	Ou, mieux encore, des smoothies !
Divers	Pain complet	x					x		C'est toujours mieux que de ne rien manger.

* À alterner le plus possible sur une semaine

À TOI, TU PENSERAS

*Vous avez bien suivi tous nos conseils :
vous vous êtes organisée, vous avez baissé votre
seuil de tolérance pour tout ce qui est ménage,
repassage et rangement, vous ne vous mettez pas
la barre trop haut et en vous faisant violence,
vous laissez le papa et les grands-parents prendre
leur place dans votre bulle. Et pourtant…
Pourtant, vous ne vous reconnaissez plus :
une reine de bal devenue Cendrillon sans
les souris et les oiseaux qui chantent autour.
Voici comment retrouver votre vrai
« moi » et une bonne estime de soi.*

douchée, habillée, coiffée, maqui... OUIN OUIN pas maquillée...

- 2 ou 3 leggings unis et foncés
- 3 jolis tops longs, fluides et colorés qui s'ouvrent sur l'avant si vous allaitez
- Des chaussures confortables et faciles à enfiler
- 1 ou 2 bijoux « phare » : bague, gros bracelet...
- 2 grands pulls
- 2 gilets pour jouer les superpositions
- 2 soutiens-gorge
- Des tonnes de culottes bien confortables et bien enveloppantes (pour le string en dentelle, il faudra attendre un peu...)
- 1 manteau ou une veste large pour les sorties
- 2 jolis pyjamas
- Une petite coupe courte qui se recoiffe avec les doigts ou de quoi attacher vos cheveux s'ils sont longs (c'est la mode des jolis *headbands*, profitez-en !)

✳ *Cendrillon peut-être, mais pas en haillons*

Comme toutes les jeunes mamans prises dans le tourbillon des tâches « pouponnières », vous devez sans doute ne vous doucher que vers 17 heures (les bons jours...). Du coup, vous passez vos journées en tee-shirt et caleçon. Entre nous, on fait plus glamour... Et quand on sait que « mochitude » et « baisse de moral » sont étroitement liées, il faut réagir. Trouvez deux ou trois tenues interchangeables dans lesquelles vous vous glisserez sans penser le matin. Troquez vos vieux chaussons en peluche vache contre des baskets ou vos sandales de l'été dernier. Ajoutez votre bague ou votre bracelet fétiche et, hop, le tour est joué.

VOTRE TROUSSE DE MAQUILLAGE

- 1 stylo éclat
- 1 mascara
- 1 blush
- 1 petite brosse à sourcils

✺ *Objectif « bonne mine »*

Sacré challenge en ces temps de nuits brèves et en pointillés ! Pourtant, il suffit de pas grand-chose pour avoir l'air moins fatiguée.

• Le matin, donnez-vous des petites claques sur les joues pour les tonifier et les colorer.

• Pour vos tops, troquez le noir, le taupe, le poudré contre des couleurs péchues : fuchsia, rose, rouge...

• Faites des grimaces à bébé : non seulement ça le passionnera, mais ça détendra les muscles de votre visage.

• Mélangez un peu de vinaigre de cidre dans de l'eau et tamponnez-vous-en le visage le soir après l'avoir bien nettoyé, ou rincez-vous les cheveux avec. Coup d'éclat garanti.

• Maquillez-vous léger mais « lifté » : stylo éclat sur les cernes et l'arcade sourcilière + le coin externe de l'œil, une touche de mascara sur les cils, sourcils brossés vers le haut et blush sur les joues.

CLAC

Blush

vinaigre

stylo éclat

mascara

VI NAI GRE

brosse à sourcils →

✚ TRUCS DE PARESSEUSE

• Si vous faites vos courses sur Internet, allez les chercher pour vous obliger à sortir... ou allez au marché acheter vos produits frais.

• En attendant de retrouver votre ligne, achetez des vêtements grandes tailles en élasthanne chez H&M. C'est pas cher et ça vous changera de vos vêtements de grossesse.

✳ *Le pouvoir de l'air frais sur la peau*

Pour des raisons pratiques, vous êtes devenue championne de surf sur Internet. Vous y faites tout : courses, démarches administratives, sans parler des séances défouloir sur les forums « jeunes mamans ». Tout cela est très bien, car vous sortez ainsi de votre isolement, mais ce serait oublier les effets bénéfiques de l'air frais, du soleil et des vrais gens sur le moral. Alors, plutôt que d'errer de sites en sites pendant une heure, sortez vous aérer ! On ne vantera jamais assez les bienfaits d'un petit café en terrasse avec une copine... Et si vous n'avez pas de copine dispo, allez voir les fleurs pousser dans un parc, les nuages courir dans le ciel, une expo photo... Bref, quelque chose de beau qui vous reconnectera à la vraie vie.

🌐 Collez ici la photo de votre première sortie entre filles après la naissance de bébé.

chapitre

DE PARTOUT,
TU LE LAVERAS

·

*Que la paresseuse qui n'a pas été tétanisée
à l'idée de laver un nouveau-né me lance
son gel douche à la tête la première. Outre le fait
qu'au début il semble si fragile qu'on a peur
de le casser et qu'on doit lui faire des choses
qui mettent à mal notre délicatesse naturelle,
il y a aussi tous ces petits gestes à apprendre
pour traquer la saleté dans le moindre
recoin sans lui faire mal.*

bien propre là et là, et là aussi

La préparation du terrain

Laver un bébé nécessite un minimum de préparation : augmenter la température de la salle de bains, mettre toutes ses petites affaires et le matériel dont on va avoir besoin près de la table à langer, faire couler quelques centimètres d'eau à la bonne température dans la baignoire et mettre une pancarte « Ne pas déranger » sur la porte car maintenant, c'est top concentration : pas question de le quitter des yeux ne serait-ce que dix secondes !!!

Les bonnes températures
23 °C pour la salle de bains
35 °C pour le bain

✚ TRUC DE PARESSEUSE

Si vous lui nettoyez bien les fesses à chaque changement de couche, vous pouvez très bien ne lui donner un bain qu'une fois tous les deux jours.

LE MATÉRIEL POUR LE BAIN

- Un matelas à langer recouvert d'une serviette propre
- Une petite baignoire ou un transat de bain (puis un siège de bain quand il se tiendra assis)
- Un tapis antidérapant au fond de la baignoire
- 1 thermomètre de bain
- Des gants doux
- Plusieurs serviettes douces
- De l'éosine
- Du sérum physiologique
- Des grands carrés de coton
- Un savon surgras (le plus naturel possible et sans paraben) pour le corps et les cheveux de bébé
- De l'huile d'amande douce
- Des vêtements propres
- Des couches
- Des lingettes ou, si vous préférez quelque chose de plus naturel, du liniment oléocalcaire
- Une brosse douce
- Une paire de ciseaux à bouts ronds
- De la crème contre l'érythème fessier
- Une poubelle hermétique
- Une pince à linge pour se boucher le nez

✳ *Les bons gestes*

Les premiers jours, le plus simple est de laver bébé avec un gant chaud directement sur la table à langer (si elle se trouve près d'un point d'eau), du plus propre au plus sale, et de le rincer doucement dans une petite baignoire, en le tenant délicatement mais fermement par une aisselle, la tête posée sur votre avant-bras. Essayez de tout avoir au même niveau pour ne pas faire trop de gymnastique ou vous faire mal au dos. Enfin, pour le sécher, tamponnez-le délicatement avec une serviette. Et d'ici quelques jours, testez le transat en lui expliquant ce que vous faites.

toujours une main qui tient le bébé, ne JAMAIS le laisser seul dans la baignoire.

Bébé pleure dans son bain	
RAISONS	**SOLUTIONS**
Il a froid	Augmentez la température de la pièce. Enveloppez-le dans une serviette douce. Réduisez les soins au strict minimum.
Il s'ennuie	Parlez-lui. Donnez-lui des petits jouets ou installez un mobile au-dessus de lui. Réduisez les soins au strict minimum.
Il a faim	Faites-le manger avant (et laissez-le digérer au moins une demi-heure).
Il a sommeil	Avancez l'heure du bain.
Il se sent perdu	Oubliez le transat et tenez-le vous-même. Lavez-le dans un lavabo.

LES ZONES À BIEN LAVER ET À BIEN SÉCHER	LES ZONES À NE PAS LAVER
Derrière les oreilles Dans les petits plis des cuisses, des fesses, du cou, des bras...	Le cordon ombilical L'intérieur de la vulve La verge en la décalottant

Les soins annexes

Les couches : on l'ouvre, on lève les jambes de bébé d'une main en ôtant un maximum de saleté avec la couche. De l'autre main, on jette la couche, on lui nettoie et on lui sèche les fesses en plaquant éventuellement son petit robinet sous un carré de coton pour éviter les accidents, on glisse une couche propre ouverte sous ses fesses, on libère ses jambes et on attache la couche sans trop serrer (on doit pouvoir glisser un doigt entre sa couche et son ventre).

Le cordon : on tapote tout autour avec un coton imbibé d'éosine.

Le shampoing : on lui mouille la tête en la lui mettant bien en arrière, on verse quelques gouttes de produit dessus et on la lui masse doucement sans appuyer sur la fontanelle. On rince avec un gobelet ou en mettant un gant sur la pomme de douche.

Les oreilles et le nez : on roule un petit morceau de coton en pointe, on l'imbibe de sérum physiologique et on ne nettoie que ce qu'on voit.

Les ongles : on profite de son sommeil pour les lui couper (pas à ras et, pour les ongles des pieds, bien droits).

TRUC DE PARESSEUSE

Il déteste avoir de l'eau dans les yeux ? Mettez un gant roulé sur son front au moment de lui rincer la tête (et espacez les shampoings…).

c'est dingue d'aimer autant un truc aussi petit

♥ *Collez ici une photo de bébé dans son bain.*

chapitre

11

BEAU COMME UN DIEU, TU LE FERAS

·

*Ça y est ! Vous allez enfin pouvoir jouer à
la poupée. Depuis le temps que vous attendiez ça
(et que vous stockez des tonnes de vêtements),
vous n'avez qu'une envie : les lui essayer.
Ou alors, plus sagement, vous n'avez prévu que
de quoi démarrer et comptez acheter la suite
au fur et à mesure, au gré de vos besoins
et de la croissance de votre bébé.
Dans les deux cas, prenez le temps de
lire ce qui suit, ça peut vous aider…*

- 8 bodies à manches courtes ou manches longues selon la saison
- 7 pyjamas
- 2 ou 3 petites tenues si ça vous fait plaisir !
- 4 ou 5 gilets ou brassières
- Une douzaine de paires de chaussettes de 0 à 6 mois
- 1 combi pilote et/ou une veste chaude et une chancelière pour l'hiver
- 2 paires de moufles pour l'hiver
- 2 bonnets pour l'hiver ou 2 chapeaux à larges bords pour l'été

✳ Pour commencer : du pratique et de l'ultra-confortable

Désolée de gâcher l'ambiance, mais il va falloir attendre un peu avant de parer votre bébé de looks à faire trépigner Suri Cruise de rage. En effet, les premiers temps, les bébés détestent être manipulés, déshabillés, rhabillés et engoncés dans des vêtements. S'ils pouvaient parler, ils nous supplieraient d'ailleurs de les laisser en pyjama toute la journée. Donc, quitte à lui mettre de vrais vêtements, voici les détails qui changent tout :

• des matières naturelles et douces (coton ou laine fine selon la saison) qui passent à la machine ;

• des pantalons bien larges aux fesses contenant un brin d'élasthanne avec une taille élastiquée (de préférence réglable) et si possible des pressions (qui tiennent) entre les jambes ;

• des bodys croisés et des gilets avec une fermeture par liens, velcro ou pressions au lieu de tops qui s'enfilent par la tête ;

• des chaussettes à revers (et non pas avec un élastique qui scie le mollet).

✚ TRUCS DE PARESSEUSE

• Vous hésitez entre deux tailles ? Prenez la plus grande, vous pourrez la mettre plus longtemps.
• Tant que bébé ne bouge pas, mettez-lui toujours un vêtement de plus que vous pour qu'il ne prenne pas froid.
• En revanche, s'il est tout rouge et qu'il transpire, c'est qu'il a trop chaud.

LE TROUSSEAU DE BÉBÉ À 3 MOIS

- 8 bodies
- Au moins 5 pyjamas
- 4 ou 5 pantalons
- 10 petits hauts
- 4 ou 5 gilets en coton ou en laine selon la saison
- 2 paires de guêtres, de « sock ons » ou de chaussons Robeez pour bien tenir ses chaussettes.

✳ *Les bonnes techniques*

Partant du principe que vous n'aurez pas que des vêtements ultra-pratiques à lui mettre, voici comment procéder pour les lui enfiler (en soutenant bien sa tête les premiers mois).

• Expliquez-lui ce que vous faites pour l'apaiser et le distraire (de votre douce voix).

• Changez-le en deux temps (le haut puis le bas ou le bas puis le haut) pour qu'il ne soit jamais tout nu.

• Pour lui enfiler un gilet, glissez votre main dans une manche et attrapez-lui doucement la main. Pareil pour les jambes de pantalon, mais en lui tenant le pied et pas la main, bien sûr !

• Élargissez bien les encolures avant de les lui passer par la tête.

🕐 *Collez ici une photo de bébé avec le look que vous préférez.*

✳ *Au-delà de 6 mois*

Par un mystère à rendre John Bardeen fou, malgré ses deux prix Nobel de physique, on va vous offrir une tonne de vêtements en 6 mois, soit de quoi habiller à peu près une famille de quadruplés. Triez-les par saison et par longueur en vous fiant à vos yeux et non aux étiquettes. Et vérifiez-les régulièrement car les bébés grandissent si vite qu'on loupe parfois le bref intervalle de temps durant lequel ils vont va pouvoir mettre (ou pas) le sublime petit ensemble en pilou-pilou orange à motifs canards acheté par tata Pétunia au vide-grenier de Saint-Julien-Molin-Molette. Quant à la taille 9 mois, fort peu présente dans les magasins, vous pouvez vous en passer en jonglant entre les grands 6 mois et les petits 12 mois à l'aide du tableau dessous.

LES DÉTAILS À BANNIR...

• Les fermetures Éclair à même la peau

• Les épingles à nourrice

• Les liens coulissants près du cou

MARQUE	-	=	+
Absorba	x		
Alphabet		x	
Baby Gap		x	
Bonpoint	x		
C&A			x
Cadet Rousselle	x		
Catimini			x
Chipie			x
Cocoon (La Redoute)		x	
Compagnie des Petits			x
Confetti		x	
DPAM			x
H&M			x
IKKS			x
Jacadi		x	
Jean Bourget		x	
Kiabi		Ça dépend des vêtements !	
Monoprix (Bout'chou)		x	
Natalys			x
Obaïbi		x	
Orchestra	x		
Petit Bateau	x		
Sergent Major	x		
Tape à l'Œil		x	
Tex	x		
Tout Compte Fait			x
Vert Baudet		Ça dépend des vêtements !	
Zara		x	

Légende : - taille petit / = taille normal / + taille grand.

12

SES PLEURS, TU DÉCHIFFRERAS

•

Bébé ne sachant pas parler pour communiquer,
il utilise le moyen le plus simple et le plus
efficace : les pleurs. Il pleure pour accélérer
le service (« Alors il vient, ce biberon ? »).
Il pleure pour faire une réclamation (« Mon
ventre gargouille de façon très désagréable »).
Il pleure pour protester (« C'est pas bientôt
fini, ce bazar ? », « Quoi ? Dormir seul ?
Pas question !!! »). Bref, ça n'arrête pas !

✿ *Dans la peau de Champollion*

Donc, bébé pleure pour communiquer. Vous voilà bien avancée... La liste des raisons est longue, la preuve avec la check-list ci-contre. Le problème, c'est de pouvoir trouver la bonne, et vite, avant qu'il y ait un pétage de plombs collectif. Voici quelques petits trucs :

• Les pleurs de faim sont espacés au début puis de plus en plus stridents et insistants.

• Les pleurs de colère sont forts, désagréables et s'accompagnent d'un magnifique teint rubicond.

• Les pleurs de douleur sont généralement précédés d'un cri bref et puissant, et sont entrecoupés de pauses pendant lesquelles bébé bloque sa respiration.

• Les pleurs de sommeil se traduisent par des gémissements et des gros sanglots.

• Les pleurs d'ennui sont ponctuels et généralement peu impressionnants.

Mais c'est en les observant qu'on peut mieux comprendre les bébés, car leur attitude est souvent très éloquente.

QU'EST-CE QUI FAIT PLEURER BÉBÉ ?

• Il voudrait être au calme comme avant, dans votre ventre.

• Il a faim, soif, besoin de téter.

• Il a les fesses sales.

• Il a perdu sa tétine.

• Il a mal au ventre (brûlures, gros prouts... un régal !).

• Il a du mal à faire caca (s'il est au biberon).

• Il a chaud.

• Il a froid.

• Il est fatigué.

• Il en a marre de voir toujours la même chose.

• Il voudrait qu'on joue avec lui.

• Il n'aime pas vos nouvelles lunettes.

• Il a peur du bruit de l'essorage de la machine à laver.

• Il ne veut pas rester seul.

• Il veut un gros câlin.

• Il a besoin de se décharger de ses angoisses le soir.

• Il aime le son de sa voix.

• Il veut vérifier que le petit personnel est là (oui, vous !).

• Il est malade, etc., etc., etc.

⟩ ⟩ ⟩

TRUC DE PARESSEUSE

➜ Pour s'assurer qu'il n'a pas une bonne raison de pleurer… sans vous faire voir, placez son lit de façon à ce qu'il soit visible de la porte de sa chambre.

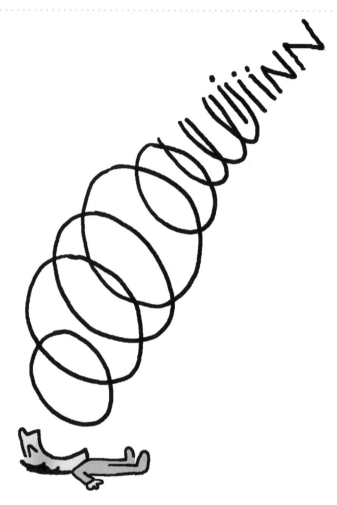

❋ Des nuits… de rêve !

Toutes les nuits, c'est le même cirque : bébé se réveille, râle, geint, grommelle, tempête, s'insurge et finit par hurler. À 3 semaines, c'est normal : il a faim. À 6 mois, ça l'est moins. Oui mais voilà, ça fend votre petit cœur de paresseuse et vous n'avez qu'une envie : le prendre dans vos bras. Et là, je dis : « Attention : piège !!! » Si vous mettez le doigt dans cet engrenage, ce n'est pas le bras qui y passera mais vous toute entière. Le truc, c'est d'aller voir ce qui se passe, de le réinstaller tranquillement, de lui souhaiter une bonne nuit (avec les gestes ou les mots qui l'apaisent), bref de lui montrer que vous croyez en sa capacité à se rendormir tout seul. Non seulement vous lui rendrez un grand service, mais à vous aussi.

✻ *L'arme ultime*

C'est la plus efficace, mais aussi la plus éprouvante (pour les parents, pas pour les bébés). On l'appelle la « méthode des pleurs contrôlés ». Son but ? Apprendre à un bébé récalcitrant (de plus de 6 mois) à s'endormir seul. Le principe ? Après le rituel, on lui fait un bisou et on s'en va. Il pleure. Normal. Mais on n'accourt pas. On attend deux, trois minutes avant de revenir. On lui redit bonsoir, sans le prendre à bras et on repart. Il repleure. Normal. Cette fois, on attend cinq minutes avant de revenir, l'air calme, neutre et détendu (même si 30 secondes avant on était en larmes derrière la porte de sa chambre) et on ne le prend toujours et surtout pas à bras. Et ainsi de suite en attendant chaque fois un peu plus longtemps. Si vous tenez bon et persévérez (relayez-vous avec le papa), votre bébé comprendra vite le message : « C'est fini, la bamboula. Le soir, on dort... et la nuit aussi. »

➡ Comment réussissez-vous à le calmer quand il fait une grosse colère ?

l'entendre pleurer, ça m'est INSUPPORTABLE !

V encore deux minutes...

EN VADROUILLE, TU L'EMMÈNERAS

Ah, les déplacements avec un bébé…
Il y a les douze sacs de vêtements et de matériel
à préparer. Puis le semi-remorque à charger
et à décharger à l'arrivée. Le lit pliant à installer.
Plus la scène du coucher avec un bébé
hypercasanier qui ferait n'importe quoi pour
rentrer chez lui… comme par exemple
vous pourrir votre soirée. Sans parler
de ses hurlements, vers 8 mois,
en voyant des étrangers…

✱ La mise en condition

Les bébés étant des êtres d'habitudes, il faut essayer de leur en donner de bonnes le plus vite possible, comme sortir, voir du monde, dormir n'importe où, pouvoir s'apaiser avec trois fois rien, s'endormir dans le bruit... autant de choses archifaciles à faire les premières semaines. Donc, s'il ne fait pas -15 °C sous abri ou 38 °C à l'ombre, emmenez-le partout avec vous en respectant ses horaires et son humeur. Pensez aussi à lui donner des repères d'ambiance, de décor, de sensations qui l'apaiseront : même gigoteuse, même petite musique, même rituel qu'à la maison...

✱ Les déplacements en voiture

Très vite, vous allez découvrir les joies des trajets en voiture avec bébé. Un grand moment, surtout quand on est seule avec lui sur l'autoroute, qu'il hurle parce qu'il a laissé tomber son doudou et qu'on frôle l'accident en essayant de le rattraper derrière le siège passager. Si vous devez faire un long voyage, prévoyez des pauses fréquentes pour faire baisser la tension dans l'habitacle ou, si vous êtes noctambule, voyagez de nuit. Et, en plus des bagages dans le coffre, posez un sac à côté de vous avec tout ce dont vous risquez d'avoir besoin en urgence : des tétines, 2 biberons d'eau, des en-cas, des petits jouets, des livres, un CD de musique douce, des mouchoirs...

TRUCS DE PARESSEUSE

• Pour lui procurer à la fois douceur et réconfort, faites-le dormir sur une peau d'agneau. Non seulement elle va réguler sa température (elle rafraîchit l'été et réchauffe l'hiver), mais elle va rester propre longtemps. Toutes les qualités d'un bon doudou, en somme !

• Au lieu d'apporter le chauffe-biberon, faites réchauffer vos bibs à l'ancienne (30 secondes dans de l'eau bouillante) ou à la moderne (quelques secondes au micro-ondes) en les secouant bien et en vérifiant leur température avant usage.

• Dans le genre n'emportons-pas-toute-la-maison-avec-nous, emportez des briquettes de lait tout préparé en lieu et place du trio infernal : bibs, lait, stérilisateur.

❯ ❯ ❯

MATÉRIEL À PRENDRE AVEC VOUS	Pour une heure	Pour une journée	Pour une soirée	Pour un week-end
Doudou	x	x	x	x
Tétines	1	2	2	3
Biberons	1	de 4 à 6	2	6
Bouteilles d'eau	1	2	1	2
Doses de lait	1	de 4 à 6	2	la boîte
Pastilles de stérilisation	–	–	–	2
Bavoirs	1	2	1	3
Tenue de rechange complète	–	1	–	2
Pyjama	–	–	1	1
Body	–	–	1	1
Couches	1	4	3	8 à 10
Lingettes	1 petit paquet	1 petit paquet	1 petit paquet	1 paquet
Lit parapluie (ou nacelle)	–	–	1	1
Porte-bébé (ou poussette)	1	1		1
Sa turbulette habituelle	–	–	1	1
Ses jouets familiers	–	1	2	3
Ses produits de toilette	–	–	–	x

Et pour les plus grands, en lieu et place des biberons, doses de lait et autres pastilles de stérilisation :

	Pour une heure	Pour une journée	Pour une soirée	Pour un week-end
En-cas	1	2	1	4
Repas	–	3	2	5
Biberons ou tasse antifuites	1	2	1	2

La peur de l'étranger

Bébé a grandi et malgré l'entraînement intensif que vous lui faites subir depuis qu'il est né pour le sociabiliser, il se cramponne à vous chaque fois qu'il voit quelqu'un qu'il ne connaît pas, genre « au secours, la méchante sorcière de Blanche-Neige ! ». C'est la fameuse angoisse du 8e mois, une étape importante de son développement au cours de laquelle il prend conscience que vous avez une vie en dehors de lui, d'où une peur panique de ne plus jamais vous revoir. En attendant que ça passe, jouez à lui faire trouver des objets cachés pour qu'il comprenne le principe du « parti/revenu » (ou « permanence de l'objet »), continuez à le laisser quelques heures, quelques jours à ses « nounous » habituelles et laissez-lui le temps de s'habituer aux têtes inconnues. Et parlez, parlez, parlez pour le rassurer.

Alors, comment s'est passée votre première sortie en famille ?

Je sors faire quelques courses et je reviens tout à l'heure...

LES PREMIÈRES FOIS DE BÉBÉ

Bébé a grandi et a passé quelques grandes étapes.
Collez ici vos photos souvenirs.

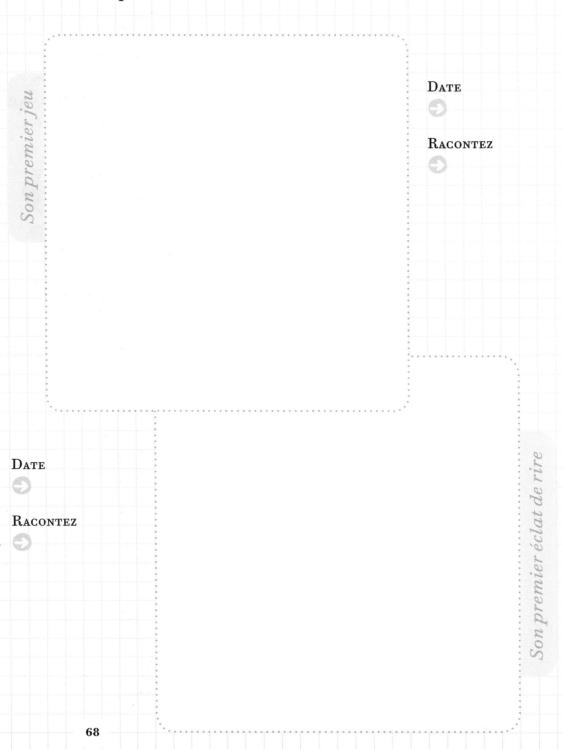

Son premier jeu

DATE

RACONTEZ

DATE

RACONTEZ

Son premier éclat de rire

Ses premières minutes assis tout seul

Date

Racontez

Date

Racontez

Son premier repas

chapitre

14

AUX PRESSIONS,
TU RÉSISTERAS

•

*Le concept de la mère parfaite varie selon
les époques et les modes. Dans les années 1980,
c'était une mère qui arrivait à tout gérer :
ses enfants, son couple et son travail. Trente ans
après, si l'on en croit ce qu'on lit ici et là,
c'est une mère qui allaite, cuisine bio, essaie
de polluer un minimum la planète et se consacre
entièrement à son bébé. Dans le genre « grand
écart », ça frôle le claquage. Et puis, il y a
la pression qu'on se met toute seule (la pire,
sans doute) et les pressions de l'extérieur...*

✳ Tempérez avec l'écologiquement correct

Ces dernières années, les hommes ont pris conscience de l'usage dément et irrationnel qu'ils faisaient de leur planète, et c'est un vrai progrès, un vrai changement de société. Le problème, c'est que cette prise de conscience induit tout un tas de nouveaux comportements parfois coûteux, parfois « mangeurs de temps » et pas toujours compatibles avec la vie quotidienne d'une jeune maman. Tiens, d'ailleurs, si vous évaluiez le temps que vous passez par semaine à vous occuper de votre bébé ? (le temps moyen indiqué étant celui d'un groupe de jeunes mamans paresseuses spécialement consultées pour l'occasion).

est-ce que je dois compter aussi, le nombre de fois que je te bisoute ?

	TEMPS MOYEN PAR SEMAINE	VOTRE TEMPS MOYEN À VOUS
Bain de bébé	3 h 30	
Tétées	18 heures	
Préparer les bibs	1 h 45	
Laver les couches	1 h 30	
Changer les couches	7 heures	
Préparation des purées	1 h 45	
TOTAL HEURES PAR SEMAINE	33 h 30	

Ah, quand même !!! Maintenant, additionnons ce nombre d'heures au nombre d'heures consacrées aux tâches ménagères.

	TEMPS MOYEN PAR SEMAINE	VOTRE TEMPS MOYEN À VOUS
Total heures de ménage par semaine	6 h 50	
Total autres tâches par semaine	15 h 30	
Total soins de bébé par semaine	33 h 30	
TOTAL	55 h 50	

La messe est dite : les 35 heures sont allégrement dépassées ! Donc, si vous voulez garder un peu de temps pour vous doucher, sortir et vous reposer, il faut faire des choix... et sans culpabiliser car, franchement, vous pouvez difficilement faire mieux.

❯ ❯ ❯

✳ *Bâillonnez votre mauvaise conscience*

Votre pire ennemie, en matière de culpabilité, c'est vous-même. Par exemple, quelle jeune maman ayant dû renoncer à l'allaitement pour X raisons ne s'est pas dit : « Je ne suis même pas capable de subvenir au besoin le plus élémentaire de mon bébé » ? C'est fou la capacité qu'on a à se mettre la pression toute seule ! Pourtant le bien-être et l'épanouissement de votre bébé ne dépendent pas entièrement de vous seule. Il y a des tas de gens (dont, en premier lieu, le papa) et de matériels pour vous aider. Donc, relax. Et si vous n'arrivez pas à lâcher prise, parlez-en à une femme de la génération précédente (maman, tata, marraine) qui a suffisamment d'expérience et de recul pour vous aider.

✳ *Calmez l'ardeur de votre entourage*

Il n'y a rien de plus éreintant que de voir se succéder une foule de gens autour du berceau d'un petit bébé. Soit, vous êtes fière de votre œuvre. Soit, c'est une splendeur, et tout le monde accourt pour le voir (il ne manque plus que les Rois mages !). Mais toutes ces visites fatiguent car, en plus d'obliger à faire la conversation, elles volent de précieux instants de repos. Alors, limitez-les au maximum et instaurez le principe du « tu m'appelles avant de passer pour savoir si c'est toujours OK ». Quitte à éteindre votre téléphone si vous voulez vraiment avoir la paix !

Autre pression à gérer : le désarroi des copains sans enfants qui ne comprennent pas que vous ne sautilliez pas de joie à l'idée d'aller vous trémousser sur la piste du Macumba. Alors bien sûr, vous êtes la première à vouloir rester la même qu'avant, mais vous savez aussi qu'à 5 heures du mat', fête ou pas fête, bébé sera aux taquets ! Alors n'y allez pas. Vous aurez plein d'occasions de vous rattraper après... quand vos copains seront à leur tour le nez dans les couches. Vengeance !!!

Savez-vous planter les choux, à la ...

Hi Hi

Ouf, il existe enfin un moyen de concilier « couches » et « écologie » sans frôler le *burn-out* : les couches écologiques jetables disponibles sur Internet.

Quelles autres pressions vous êtes-vous mises, genre « je vais faire mon propre compost » ou « sitôt la kiné terminée, je me mets à la zumba » ?

LA ET LES FORMES, TU RETROUVERAS

*Oui, je sais, vous avez hâte de remettre vos jeans
« d'avant », mais vous venez de fabriquer
un bébé, que diable ! Et il est normal que votre
corps de déesse soit « un peu » marqué.
Et c'est sans compter la chute de cheveux,
les cernes, le teint gris, les seins en melon…
Quel charmant tableau ! Votre premier objectif
va donc être de retrouver la forme.
Ensuite, et ensuite seulement, vous
pourrez penser au reste : régime et activité
physique pour retrouver… les formes.*

mon sport quotidien ...

✳ *Pour le sport, il faudra attendre un peu*

Ça, c'est de la bonne nouvelle, non ? Donc, pas question de bouger pour le moment. Après l'accouchement, il faut laisser votre corps récupérer, ce qui prend 6 bonnes semaines. Ensuite, on vous conseillera d'aller faire un petit tour chez un kiné ou une sage-femme pour remuscler votre périnée qui en a quand même pris un sacré coup. Et quand on sait que le périnée retient non seulement tous les organes présents dans le bassin (utérus, vessie, intestins…) mais empêche aussi de faire pipi dans sa culotte au moindre fou rire, on s'applique !

✚ TRUC DE PARESSEUSE

Chouette, on peut allier promenade avec bébé et remise en forme grâce à la gym-poussette : un programme d'exercices spécialement conçu pour les jeunes mamans (plus d'infos sur Internet).

Une paresseuse avertie en vaut deux

- Quand on allaite, il faut consommer 300 à 500 calories de plus qu'en temps normal. Ce n'est donc pas le moment de faire un régime !
- Il faut en moyenne un an pour retrouver sa silhouette d'avant.

je contracte mon périné, hop, j'le relache, hop j'le contracte...
sur la pointe de pieds

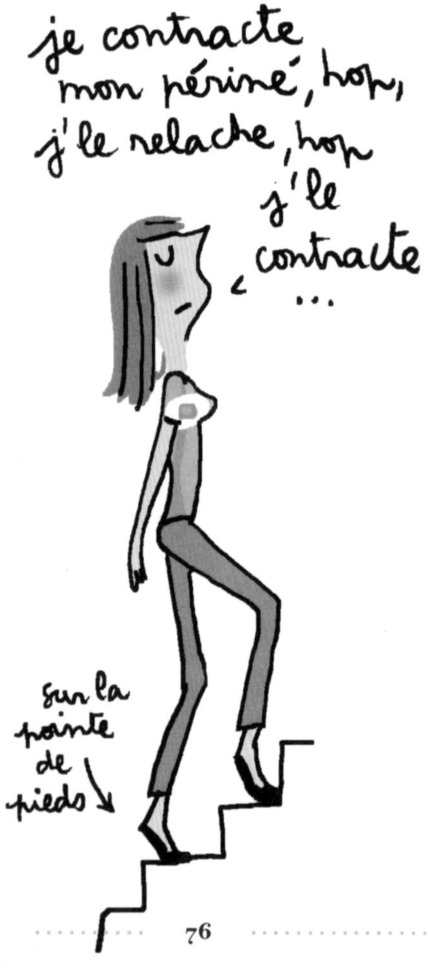

La récupération passe par l'alimentation

Deuxième bonne nouvelle : pour retrouver la et les formes, il faut manger. Mais pas n'importe quoi et pas n'importe comment. Il ne faut quand même pas rêver, on n'est pas à Fraisi-Paradis ! Donc ciao les Cornetto, welcome les pommes. En revanche, mangez, dévorez des fruits et des légumes car ils contiennent toutes les vitamines et les nutriments dont votre corps a besoin en ce moment. En gros – comme c'est étrange –, il faut manger varié en alternant légumes et féculents, viande rouge et viande blanche, poissons blancs et poissons gras en vous aidant du tableau spécialement conçu à cet effet (voir pp. 46-47).

Et maintenant... bougez !

Dans l'idéal, on devrait toutes faire une demi-heure de sport par jour. Dans l'idéal... Si vous êtes archimotivée, ne vous privez pas à condition que ce ne soit pas trop brutal. Le mieux serait de trouver un cours de gym, de yoga ou de pilates postnatal près de chez vous et doté d'une halte-garderie. Si ça existe... Il y a aussi les cours en ligne ou en DVD, mais difficile de se motiver seule... Alors ? Alors, mettez vos baskets (ou vos rollers) et allez faire une longue promenade en marchant d'un bon pas derrière le landau de bébé. Si vous devez descendre et monter des escaliers, c'est encore mieux ! L'essentiel, c'est de ne pas vous mettre d'office en position d'échec en vous fixant des objectifs démesurés, comme avoir les fesses de Pippa Middleton si vous avez toujours été pulpeuse comme Liv Tyler, ou faire 1 heure de sport par jour alors que vous n'en avez jamais fait de votre vie. Et pour les abdos, essayez l'exercice ci-contre.

LES ABDOS À LA SAUCE PARESSEUSE (MAIS TOP EFFICACES SI VOUS LES FAITES TOUS LES JOURS)

 Allongez-vous sur le dos, une jambe pliée sur le ventre, l'autre tendue, les mains derrière la nuque.

Touchez le genou droit avec le coude gauche, puis le genou gauche avec le coude droit.

Faites 3 séries de 15 à 20 mouvements en respirant bien et sans prendre d'élan ni tirer sur la tête.

LES ZONES À REMUSCLER EN PRIORITÉ

- Le périnée
- Les abdos
- Le dos

Quels sont vos trucs à vous pour retrouver la et les formes ?

hop,
stop pipi,
je recommence,
STOP,
je recommence,
STOP
...
concentration

chapitre

16

DE BONNES HABITUDES, TU LUI DONNERAS

·

Le bébé sur mesure... mythe ou réalité ?
Sans doute un peu des deux.
Mais, sans vouloir en faire un pot de fleurs
qui reste là où on le pose, on peut lui donner
des repères, un cadre pour le structurer
au fil de son développement, faire que
la vie avec lui soit plus douce qu'exténuante
et éviter, accessoirement, de se choper
la honte en public.

LES ÉTIQUETTES À NE SURTOUT PAS LUI COLLER

- Paresseux
- Anxieux
- Difficile
- Vorace
- Capricieux
- Comédien
- Méchant
- Râleur
- Têtu

✳ *Rien n'est écrit d'avance*

Ce n'est pas parce que votre bébé est très agité et qu'il pleure beaucoup qu'il ne va pas devenir l'être le plus adorable et le plus doux de la Terre. Un bébé pleure pour de multiples raisons, sauf pour le plaisir de pleurer. Alors, la première chose à faire, c'est de ne pas le mettre dans une case genre « bébé grincheux » ou « bébé survolté », car il va mettre un point d'honneur à être la hauteur de sa réputation. Ce n'est pas non plus en lui hurlant dessus que vous le « materez ». En effet, un petit bébé ne fait pas de caprices et encore moins exprès d'embêter ses parents. S'il pleure, c'est pour une bonne raison. Aidez-vous des conseils pp. 106-107 pour vite l'apaiser, car un bébé plus zen est un bébé plus cool.

Si tu continues de me tirer les cheveux, le cheval arrête immédiatement de galoper

✳ *Pas besoin de cloche ni de pincettes*

Au début, les bébés semblent si fragiles qu'on a l'envie bien compréhensible de les surprotéger. Du coup, on impose le silence total à toute la maisonnée quand il dort, on le prend à bras dès qu'il pousse le moindre petit hoquet indigné, on n'ose rien lui imposer... et c'est comme ça qu'un an après on se retrouve avec un bébé qui n'accepte de manger qu'en dessinant sur le mur de la cuisine, qui refuse qu'on lui mette sa ceinture dans la voiture, qui ne peut s'endormir que devant la télé... Lui donner des bonnes habitudes ne veut pas dire lui imposer tous les préceptes du « bébé parfait » (qui, comme les « parents parfaits », n'existe pas), mais continuer à vivre comme avant en lui apprenant vos règles à vous.

✳ *De la cohérence et de la constance*

C'est donc en vous épiant que bébé va prendre de bonnes habitudes. D'où l'intérêt d'être cohérent. Si vous mangez avec les doigts et moult grognements, vous n'arriverez pas à le faire manger comme à la cour d'Angleterre. De même, évitez de dire « bleu » si le papa dit « jaune ». Si c'est le cas, n'intervenez pas et attendez d'être seule avec lui pour trouver une ligne de conduite commune à respecter impérativement. Enfin, si certaines fois vous lui dites : « Finie, la tétine », et que d'autres vous la lui donnez pour le faire taire, ça risque comme qui dirait de le « confusionner ». Donc, une fois que vous avez établi une règle, ne la changez pas !

✳ *La période du « non »*

Eh oui, il existe une période du « non » dès la première année de bébé : la vôtre ! Très vite, vous serez confrontée à la nécessité de lui mettre des limites : « Non, on ne mange pas la terre des plantes », « Non, on ne vide pas la poubelle », « Non, on ne lave pas son doudou dans les toilettes ». Et n'ayez crainte, ça ne le traumatisera pas. Au contraire, ça lui montrera que vous veillez sur lui et qu'il y a des limites à tout. Et ça, c'est hyper-rassurant pour un bébé.

➡ Quand avez-vous dû gronder bébé pour la première fois ? Racontez...

• Partant du principe que les bébés vivent dans l'instant, usez, abusez de la diversion pour décrisper certaines situations au lieu d'aller à l'affrontement ou de crier plus fort que lui. De toute façon, vous avez peu de chances de gagner à ce petit jeu...

• Travaillez votre regard à la De Niro genre « you're talking to me ? », car un « non » bref, appuyé d'un regard noir, est beaucoup plus efficace qu'un « c'est pas bien, mon boubou ».

• Si vous l'attachez systématiquement dans sa poussette, sa chaise haute, la voiture, il pensera que c'est normal et se laissera faire.

• Vos grands principes éducatifs sont mis à mal par la réalité ? Sachez que « s'adapter » ne veut pas dire « capituler ».

À LE FAIRE DORMIR, TU ARRIVERAS

•

*Faire dormir bébé : le Précieux des parents
qui se lancent dans l'aventure tels des Hobbits
inexpérimentés. Pour avoir une chance d'y arriver,
il faudrait avoir un sort ou une potion magique
(non, le coup de gourdin ne compte pas).
Mais ça n'existe pas. En revanche, il existe
des petits trucs simples pour vous y aider.
Voici les meilleurs revus et simplifiés
spécialement pour votre petite tête fatiguée.*

✳ *Le sommeil, cet inconnu*

Le sommeil est fait de cycles réguliers qui se suivent
les uns les autres jusqu'au réveil et sont séparés
par de courtes périodes de sommeil si léger qu'on
peut croire que bébé est réveillé (1er danger).
On compare souvent le sommeil à un train qui revient
à horaires réguliers et qu'on doit attendre longtemps
quand on en loupe un. Et ça, ça rend de très, très mauvaise
humeur (2e danger), foi de grosse dormeuse !

Le sommeil du bébé des paresseuses

À la naissance	Il ne distingue pas le jour de la nuit. Il s'endort en sommeil agité. Il fait beaucoup de bruit la nuit et se réveille entre deux cycles de sommeil. Il dort par cycles courts (environ 50 minutes) et n'a pas de rythme de sommeil régulier.
Vers 3 mois	Après une phase de sommeil léger, il a des phases de sommeil profond et paradoxal comme les adultes. Le cycle de sommeil s'allonge (environ 70 minutes).
Vers 9 mois	Il a du mal à s'endormir et vous rappelle une fois, deux fois, dix fois. La durée des cycles varie de 90 à 120 minutes ; ils comprennent quatre phases : sommeil lent / sommeil profond / sommeil lent / sommeil paradoxal. Il se réveille souvent durant la seconde moitié de la nuit et se rendort seul (si, si !!!).
Vers 1 an	Il fait des vraies nuits et une sieste par jour.

❯ ❯ ❯

→ Ne le changez pas de place pendant son sommeil : il doit se réveiller à l'endroit où il s'est endormi. Sinon, il ne saura plus où il habite, le pauvre.

→ Même s'il ne distingue pas encore le jour de la nuit, donnez-lui très vite des repères : la nuit, on tète dans le silence et la pénombre, et on ne joue pas !

→ Quand bébé sera un peu plus grand, mettez des rideaux ou des stores occultants dans sa chambre pour qu'il ne se et vous réveille pas à l'aube.

il y a une heure pour jouer ...

Quand le coucher ?

« Ben, quand il est fatigué pardi ! – Oui, mais comment savoir quand il est fatigué parce que je ne peux pas vraiment compter sur lui pour me le dire ? » Voici, en vrac, les signes à guetter.

• **Avant 3 mois** : bébé s'agite, ronchonne, il a les paupières lourdes et/ou le regard vide et fixe, il bâille et il finit par pleurer.

• **Après 3 mois** : il se frotte les yeux, il a des cernes, il se tripote les cheveux ou les oreilles, il suce son pouce (sa tétine ou son doudou), il est surexcité...

Comment le coucher ?

Avec moult bisous et caresses, les premières semaines. Passé 3 mois, il faudra anticiper un peu pour le mettre en mode dodo. Là, il va falloir allier ruse de Sioux et fermeté thatchérienne (vous pouvez zapper l'option tailleur strict et cheveux choucroutés, le but n'étant pas de le terroriser). C'est là que tous les experts dégainent l'arme fatale : le rituel du soir au cours duquel, selon l'âge de bébé, on lui chante une chanson, fait un gros câlin, met une petite musique (toujours la même), lit un livre. La bonne durée ? 5 minutes pour partir sur de bonnes bases, car immanquablement un jour, ça va déraper (qui peut résister à un « maman, encore un câlin ! » ?).

il y a une heure pour manger ...

❄ *Et s'il pleure ?*

Tout bon bébé qui se respecte finit un jour ou l'autre par protester quand on le couche. Généralement, ça ne dure pas longtemps et le sommeil finit par l'emporter. Alors, s'il n'a pas une raison évidente de le faire (faim, rot, caca), attendez quelques minutes avant d'intervenir. Et profitez-en pour lire « Son langage, tu déchiffreras » page xx.

et il y a une heure pour dormir …

❄ C'est beau, un bébé qui dort !
Collez ici une de ses photos en pleine action.

chapitre

TON COUPLE,
TU CHOUCHOUTERAS

•

« Ils se marièrent et eurent beaucoup d'enfants… »
Si les contes de fées se terminent par cette phrase,
ce n'est sans doute pas un hasard. En effet,
quand bébé paraît, fini le conte de fées, place
à la réalité. Et la réalité, ça veut dire beaucoup
de fatigue, de stress, de remises en question,
de surprises, bonnes ou moins bonnes…
autant de choses à fort potentiel
chaotique pour un couple.

qu'est-ce que tu dirais de profiter de la sieste de bébé ?

✳ *Renoncer pour mieux recréer*

Oui, votre vie a changé en l'espace de ces quelques jours passés à la maternité. Vous voilà maintenant responsables du bien-être d'un petit bébé qui en plus de vous chambouler vous, va chambouler votre train-train quotidien. Le mieux, c'est de l'accepter tout de suite et de se mettre en mode « disposition totale » pour au moins trois mois, en attendant de retrouver un rythme à peu près normal. Vous allez aussi voir apparaître des traits de personnalité que vous ne connaissiez pas chez votre chéri(e) et avoir parfois l'impression de vous retrouver face à un(e) inconnu(e). En effet, devenir parents n'est pas anodin. Cela ravive, souvent de façon inconsciente, des souvenirs bons ou mauvais de sa propre enfance, d'où parfois des réactions « bizarres ». C'est une phase d'ajustement nécessaire que traversent tous les jeunes parents. Gardez ça en tête pour dédramatiser les conflits.

❯ ❯ ❯

✳ La place du papa

Devenir maman est une expérience si intense, si bouleversante qu'on a tendance à s'enfermer dans une bulle avec son bébé et de croire que son bien-être, sa santé, son bonheur dépendent entièrement de nous, un sentiment de toute-puissance renforcé par certains discours aussi faux que culpabilisants. Un bébé, pour bien grandir, a besoin de sa maman et de son papa, même si leurs méthodes sont très différentes. C'est d'ailleurs un avantage, car ça lui apprend d'autres modes de fonctionnement et ça l'ouvre au monde extérieur avec tout ce que ça implique de nouveautés et de règles. Alors laissez-le passer du temps en tête à tête avec son papa et profitez-en pour dormir ou sortir vous aérer. Et plutôt que de râler à votre retour parce que votre chéri a « oublié » de changer la couche, félicitez-le pour le reste. Ça l'encouragera à recommencer.

✳ Une équipe complémentaire… et gagnante !

Les qualités de l'un sont souvent l'opposé des défauts de l'autre. Par exemple, vous êtes une pro de l'anticipation et de la multitâcherie alors que lui se focalise sur une mission et s'y investit à fond. Ou alors, vous comprenez instinctivement votre bébé alors qu'il a le détachement nécessaire pour gérer des situations délicates (comme la méthode des pleurs contrôlés). Donc, au lieu de vous reprocher ceci et cela, faites de vos différences un atout en vous relayant non seulement auprès de votre bébé, mais aussi derrière les fourneaux ou l'aspiro en fonction de vos compétences et goûts respectifs (voir le tableau pp. 40-41).

urgence ! changement de couche NOW !

✳ *Des moments à deux*

Ce n'est pas un grand scoop mais une confirmation :
vous devez absolument passer du temps ensemble et de
préférence hors de chez vous pour vous retrouver, vous
redécouvrir en tant qu'individus (et non parents), vous
parler... bref, vous souvenir que vous vous aimez. Même
si rien ne vaut quelques jours de break, une soirée resto/
ciné/concert fait déjà un bien fou. La première fois, ce sera
sans doute dur, mais par pitié, forcez-vous. Vous y prendrez
tellement de plaisir que vous n'aurez qu'une idée en tête :
recommencer. Il n'y a plus qu'à appeler une mamie, une
baby-sitter, des amis, des voisins pour fixer une date.

→ Alors, ce passage de deux à trois, une évidence
ou une épopée ?

chapitre

19

LE CONFIER À D'AUTRES, TU FERAS

*Eh oui, ma jolie, il va falloir vous déscotcher de bébé !
Et il y a des tas de bonnes raisons à ça :
pour récupérer le manque de sommeil, aller
vous aérer et revenir revigorée, sortir avec votre chéri,
retravailler... Commencez par le plus simple :
ses grands-parents, s'ils ne sont pas dans un avion
pour le Turkménistan. Confiez-leur bébé une petite
heure le temps d'aller regarder l'herbe pousser.
Vous verrez, ça vous fera tellement de bien
que le soir même vous vous lancerez
en quête d'une baby-sitter et d'une nounou !*

✳ *Qui va garder bébé ?*

Ah ! la fameuse prise de tête du mode de garde.
Faites ce test pour y voir plus clair.

1. Vos parents sont :
- **a.** des dinosaures
- **b.** des oiseaux migrateurs
- **c.** des parents poules
- **d.** des fourmis : besogneux et discrets

2. Les 35 heures :
- **a.** c'est votre quotidien, à la seconde près
- **b.** c'est une petite semaine
- **c.** c'est une grande semaine
- **d.** c'est en décalé

3. Votre temps de trajet pour aller travailler :
- **a.** entre 30 minutes et deux heures selon les grèves
- **b.** 5 minutes à pied (et en allant vite)
- **c.** aucun : je reste à la maison
- **d.** varie selon les bouchons

4. Le plus important pour vous, c'est :
- **a.** de sociabiliser bébé
- **b.** de cocooner bébé
- **c.** de pouvoir le laisser tous les jours même s'il est malade
- **d.** de souffler de temps en temps

5. Vos finances :
- **a.** sont au plus plat
- **b.** aucun souci de ce côté-là
- **c.** c'est kif-kif bourricot, enfin surtout bourricot
- **d.** pourraient être mieux, mais ça va

➲ *Surlignez vos réponses dans ce tableau (attention, il y en a parfois plusieurs sur la même ligne). Si une solution évidente se dessine, tant mieux. Sinon, ça alimentera votre réflexion...*

	Assistante maternelle	Grands-parents	Crèche	Halte-garderie
1	b · c	a · d	b · c	b · c
2	a · b · c	b · c · d	a	c
3	a · b · d	a · c · d	b	c
4	a · b · c	b · c · d	a	a · d
5	b · d	a	d	c · d

❯ ❯ ❯

✳ *Les secrets*
d'une bonne adaptation

Yes ! Vous avez trouvé la perle rare ou le mode de garde rêvé. Enfin, vous l'espérez. Il ne reste plus qu'à en convaincre bébé. Voici comment faire :

• Ne le laissez pas trop longtemps le premier jour et augmentez progressivement le temps passé sur place.

• S'il hurle quand vous sortez, dites-vous que ça va passer et que bientôt, il hurlera parce qu'il voudra rester.

• Donnez à la personne qui va le garder son « mode d'emploi » (voir pp. xx et xx).

• Prévenez-le de ce grand changement en positivant : « Chouette, des nouveaux copains », « Chouette, des jolis jouets », « Chouette, plein de gentilles dames »...

• Le jour J, affichez votre plus grand sourire même si c'est le déluge à l'intérieur.

• Présentez-lui officiellement la personne qui va s'occuper de lui.

• N'oubliez pas son doudou !!!

• Partez quand on vous le demandera, ni avant, ni après.

• Dites au revoir normalement à votre bébé sans psychodrame.

✚ TRUC DE PARESSEUSE

Dans la mesure du possible, ne faites pas coïncider nouveau mode de garde et grand changement comme un déménagement, la reprise du travail, un pépin de santé...

✳ *Les retrouvailles*

Une maman, un bébé, chabadabada, chabadabada...
Vous poussez la porte d'entrée de la crèche. Plan de coupe.
Ralenti. Musique : Nicole, c'est à toi. Il est là, assis dans son
transat. Vous vous dirigez, tout sourire, vers lui. Il vous voit
enfin, mais son regard glisse sur vous comme s'il ne vous avait
jamais vue de sa vie. Ou pire, en vous voyant, il tend les bras
vers sa nounou en pleurant. La joie des retrouvailles, tu parles...
Là, il va falloir mettre votre orgueil de jeune maman au placard
et gérer la situation avec humour et détachement. Oui, il vous
la fait payer, votre absence, le petit chéri. Mais ce n'est pas
une raison pour lui en vouloir ni le rouspéter. Alors plop, un
grand sourire, un petit bisou, une petite chatouille pour lui
changer les idées... Et si c'est trop dur, craquez en cachette.

➡ Et vous, comment ça s'est passé ? Racontez...

Le mode d'emploi de bébé

Tout ce qu'il faut savoir pour s'occuper sereinement de bébé.

Heure 1re sieste	Heure 2e sieste	Heure coucher	Heure réveil

Son sommeil

Sa position préférée pour dormir

Son rituel préféré pour s'endormir

Son ou ses doudous préférés

Ses activités

Ses jeux ou jouets préférés

Ce qu'il aime plus que tout

Ce qu'il déteste plus que tout

Heure des tétées **Quantité eau + lait** **Heure des tétées** **Quantité eau + lait**

Heure des repas **Menu type (avec quantités)**

Ce qu'il adore **Ce qu'il déteste**

Traitements en cours (avec dosages)

Ses petits bobos fréquents **Traitement**

20

SANS VOUS TRAUMATISER, TU LE SÈVRERAS

•

Question sevrage, le son de cloche
varie selon les chapelles :
« Faites-le dès la fin du premier mois pour souffler »,
« Allaitez au moins trois mois »,
« Sevrez-le le plus tard possible »...
Il y a vraiment de quoi y perdre son latin !
Et si vous faisiez comme vous en avez envie
et/ou selon vos impératifs à vous ?
Dingue, non ? Dingue peut-être,
mais finalement tellement moins prise de tête.
Voici comment faire...

À mon tour !

LES BONS CÔTÉS DU SEVRAGE

- Ça crée des occasions de tête-à-tête entre votre bébé et son papa.

- Ça permet de faire des nuits complètes.

- Ça permet au corps de récupérer enfin.

- Ça élargit l'horizon de bébé (et le vôtre par la même occasion).

✳ *Le bon moment*

Tout dépend de vous et de la raison pour laquelle vous devez sevrer bébé. Si c'est votre choix à vous ou celui de bébé (il réclame de nouveau une tétée la nuit, il refuse votre sein, il louche vers votre assiette, il mord férocement vos mamelons...), faites-le dès que vous le souhaitez. Si vous avez une date butoir, genre reprise du travail, commencez plusieurs semaines avant pour vous habituer en douceur, vous, votre bébé et vos seins. Et si, pour une raison a, b ou y, le sevrage doit être rapide, lisez ce qui suit et raccourcissez les délais, mais surtout n'arrêtez pas de l'allaiter d'un coup.

TRUC DE PARESSEUSE

Si vous le sevrez tardivement, proposez-lui un gobelet à bec antifuites au lieu d'un biberon.

→ **TRUC DE PARESSEUSE**

Pour que bébé ne s'étouffe pas à la première goulée de biberon en tirant dessus comme s'il était au sein, utilisez une tétine spéciale sevrage en débit lent.

tu vas voir, < c'est bon aussi

✱ *Comment procéder ?*

Choisissez la tétée la plus facile à remplacer pour vous (c'est souvent celle du déjeuner ou du goûter). Si bébé n'a jamais pris de biberon de sa vie, proposez-lui-en un contenant votre lait pour que le choc soit moins rude, puis passez au lait infantile. Ou tentez direct le lait infantile en le lui faisant donner par quelqu'un (papa, mamie, copine) qui ne sent pas le bon lait chaud comme vous. S'il ne le finit pas, ce n'est pas grave. L'essentiel, c'est qu'il en prenne un peu plus chaque jour. En attendant, donnez-lui le complément au sein.

Autre possibilité si vous maniez le tire-lait avec la dextérité d'une majorette : proposez-lui un mélange lait maternel/lait infantile et augmentez progressivement la dose de lait infantile. Gardez ce rythme de un biberon par jour au moins quatre jours, le temps que vos seins s'adaptent à ce changement. Puis remplacez une autre tétée par un biberon. Attendez de nouveau quelques jours et passez à trois biberons et une tétée par jour. Et ainsi de suite...

Et s'il a plus de six mois, vous pouvez bien sûr remplacer la tétée du midi par une petite purée et un complément de lait.

✱ *L'impact psychologique*

Ce n'est pas anodin d'arrêter d'allaiter son bébé, surtout si on est profondément convaincue qu'il n'y a rien de plus naturel (ce qui est vrai !) et qu'on se méfie de tout le reste en général, et du lait infantile en particulier. Mais on vous l'a dit et on vous le redit : le lait infantile est conçu avec le plus grand soin et des millions de bébés en ont bu et se portent très bien. Donc n'angoissez pas là-dessus. Ça ne va pas le rendre malade. Au contraire, ça va continuer à lui apporter tout ce dont il a besoin jusqu'à son premier anniversaire. Arrêter d'allaiter signifie aussi renoncer au mythe de la mère nourricière et peut s'accompagner d'un immense sentiment de rejet. Pour vous remonter le moral, lisez l'encadré ci-joint, et si ça ne passe pas, parlez-en à votre médecin. Et sachez que si votre emploi du temps vous le permet, vous pouvez tout à fait conserver la tétée du soir et/ou du matin.

➡ Alors ? Soulagement ou déchirement ? Racontez...

LES GESTES QUI APAISENT

• Pressez doucement vos seins au-dessus du lavabo pour faire couler l'excès de lait et soulager la douleur (mais ne les videz pas !).

• Massez doucement vos seins sous la douche avec un jet d'eau chaude.

• Portez un soutien-gorge serré tapissé de coton pour absorber les écoulements de lait.

• Pour soulager vos seins, recouvrez-les de feuilles de chou directement sorties du frigo.

• Buvez moins pour ralentir la production de lait.

LES PREMIÈRES FOIS DE BÉBÉ

Encore quelques grandes étapes à immortaliser en photos.

Son premier Noël

DATE

RACONTEZ

DATE

RACONTEZ

Ses premiers « au revoir » (avec la main)

Date
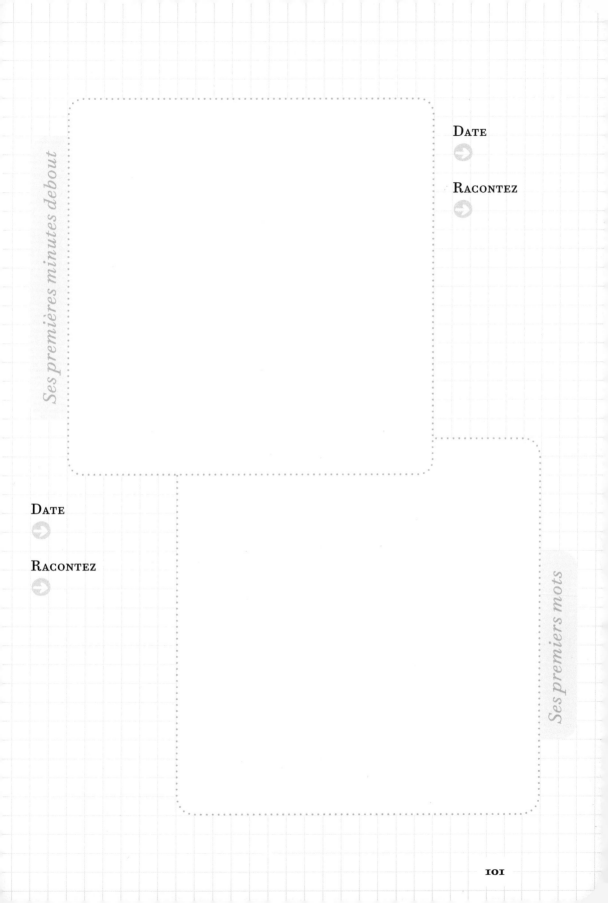

Racontez

Date

Racontez

21

SES PETITS ET SES GROS BOBOS, TU SOIGNERAS

•

Vous qui jusque-là ne saviez soigner que le mal de cheveux après un dérapage non contrôlé dans le rosé pamplemousse, vous voilà propulsée direct au poste d'infirmière en chef avec un patient qui non seulement n'a pas le bon goût de vous expliquer ce qui ne va pas, mais qui en plus semble aussi fragile qu'un petit oiseau tombé du nid. Voici une formation express avec plein d'antisèches ! Oui, je sais, je suis trop bonne.

t'es une petite bouillotte, toi

• Normalement, avant 3 mois, un bébé n'a pas de fièvre. Si c'est le cas, appelez le 15.

• Il n'y a plus qu'un seul vaccin obligatoire : le DTP (Diphtérie – Tétanos – Polio).

✳ *Comprendre ce qui se passe*

Bébé a bien dormi/mangé/fait caca et a les fesses propres et pourtant il va visiblement mal. Le premier geste à faire, c'est de prendre sa température pour vérifier s'il n'a pas de fièvre. Si c'est le cas (plus de 38,5 °C), donnez-lui du paracétamol et appelez votre pédiatre. Puis observez chacun de ses gestes tel un naturaliste devant une nouvelle espèce de coléoptère. Certains symptômes sont spectaculaires : vomissements, diarrhées..., d'autres sont plus subtils. Après avoir consulté le tableau de la page suivante, allez pp. 106-107 pour savoir comment le soulager en attendant, si besoin, de voir le médecin.

↑ *en cas de fièvre ou de dhiarrées lui faire boire beaucoup d'eau*

✚ PIQÛRE DE RAPPEL

• Ne fumez jamais chez vous et/ou en présence de votre bébé.
• Aérez sa chambre 10 minutes tous les jours.
• Pensez à l'homéopathie pour le traiter sur le long terme.

❯ ❯ ❯

HYPOTHÈSES

SYMPTÔMES	Coliques	Reflux	Rhume	Bronchiolite	Dents	Otites	Constipation	Gastro
Il a de la fièvre.			x	x	x	x		x
Il a la diarrhée.					x			x
Il a le nez qui coule.			x		x			
Il a les fesses rouges.					x			
Il a les gencives gonflées.					x			
Il a les joues et les fesses rouges.					x			
Il a une respiration sifflante et/ou rapide.				x				
Il balance la tête de gauche à droite.						x		
Il bave énormément.					x			
Il n'a plus d'appétit.					x	x		x
Il pleure en dormant.	x	x			x	x		
Il pleure et se tord de douleur en faisant caca.							x	
Il pleure quand il est en position allongée.	x	x						
Il pousse des cris stridents.					x	x		
Il respire difficilement.			x	x				
Il se porte la main à l'oreille.						x		
Il se tortille en grimaçant même pendant son sommeil.	x	x						
Il tousse beaucoup.			x	x				
Il tousse quand il est en position allongée.		x	x					
Il vomit au cours et en dehors des repas.		x						x
Il vomit et a la diarrhée.								x

on va prendre le bain ensemble, d'accord ?

✳ *Soulager avec tendresse et délicatesse*

Avant d'entreprendre quoi que ce soit, mettez-vous à sa place : aimeriez-vous qu'on vous plonge sans ménagement dans un bain froid si vous étiez tremblante de fièvre ou qu'on vous mette un suppo de la taille d'un noyau de pêche ? Expliquez doucement à bébé pourquoi il a mal et ce que vous allez faire pour le soulager. Et si malgré tout il refuse de se laisser faire, essayez de trouver d'autres modes d'administration.

✳ *Que faire s'il hurle en voyant le médecin ?*

Pour éviter que votre médecin perde toute sa clientèle à cause des cris d'agonie de votre bébé, veillez d'abord à ne pas être vous-même sur les nerfs pour ne pas lui communiquer votre stress. Prenez, de préférence, rendez-vous à un moment calme de la journée pour éviter une trop longue attente et détendez-vous. Si votre bébé n'aime pas qu'on le tripote, gardez-le sur vos genoux pendant l'auscultation ou tenez-lui la main en lui expliquant ce qu'on lui fait. Pensez aussi à lui apporter des jouets pour l'occuper ou à lui donner son doudou (on ne louera jamais assez son pouvoir apaisant)... Si c'est vous qui hurlez dans votre tête à l'idée de ce qu'on va lui faire, prenez sur vous ou demandez au papa de vous remplacer. Et si malgré tout, à chaque fois, c'est ambiance *Apocalypse Now*, changez de médecin.

ASTUCES DE PARESSEUSE POUR LUI FAIRE PRENDRE SES MÉDICAMENTS

• S'il refuse de boire son sirop, conservez-le au réfrigérateur pour en atténuer le goût ou mélangez-le (si possible) avec du jus de fruit.

• S'il refuse de prendre son sirop à la petite cuillère, mettez-le-lui dans un biberon ou dans une pipette, style pipette de Doliprane.

• Si vous devez lui donner un comprimé, écrasez-le et mélangez-le à de la compote, de la banane écrasée, de la confiture...

• Pour lui mettre plus facilement un suppo, enduisez sa pointe de vaseline (et faites « Oh, elle est partie la petite fusée ! »).

• S'il refuse de prendre ses granules homéopathiques, faites-les fondre dans un peu d'eau.

Panique à bord : bébé va mal. À chaque problème, sa solution, ou plutôt son petit tableau avec les gestes à faire, les médicaments à donner, les solutions bio et les cas où il faut appeler un médecin.

Dents	
À faire	• Donnez-lui un anneau de dentition (froid mais pas glacé). • Massez ses gencives avec du gel spécial (type Dolodent). • Réconfortez-le. • Changez-lui les idées : promenade, jeu...
À donner	• Granules de Chamomilla ou dosettes de Camillia. • Du paracétamol (type Doliprane).
Plan B(io)	• Donnez-lui une racine de violette à mordre. • Mettez-lui un collier d'ambre.

Coliques • Reflux	
À faire	• Tenez le biberon bien levé pour que le lait recouvre entièrement l'intérieur de la tétine et qu'il n'avale pas d'air. • Massez-lui le ventre du haut vers le bas et/ou dans le sens des aiguilles d'une montre. • Mettez-lui une bouillotte sèche (type sac de blé) chaude sur le ventre. • Faites-le roter après la tétée. • Fragmentez ses repas. • Si vous allaitez, bannissez les aliments « irritants » type chou.
À donner	• Débridat, Calmosine...
Plan B(io)	• Versez quelques gouttes d'huile de fenouil dans son lait.
Allô docteur	• Si ça persiste pour vérifier que ce n'est pas un reflux.

Régurgitations	
À faire	• Faites des poses pendant la tétée. • Ne le forcez pas à finir son biberon. • Faites-le digérer en position demi-assise. • Mettez des tétines à débit plus lent.
Allô docteur	• S'il mange très peu et perd du poids. • S'il pleure beaucoup en se tordant de douleur.

Fièvre	
À faire	• Habillez-le plus légèrement ou découvrez-le. • Faites-le boire. • Baissez la température de sa chambre (à 18 °C). • Mettez-lui un gant frais (mais pas froid) sur le front.
À donner	• Paracétamol et ibuprofène en alternance toutes les 4 heures.
Allô docteur	• Si la fièvre persiste et dépasse 38,5 °C. • S'il refuse de boire. • S'il est abattu, amorphe, hagard, pâle... • Si sa fontanelle se creuse ou enfle. • Si, au contraire, il est bloqué en mode « pleurs et cris ». • S'il a des boutons.

Vomissements	
À faire	• Faites-lui boire de l'eau. • Mettez-le en position demi-assise. • Donnez-lui un peu de coca sans caféine et sans bulles (+ de 6 mois). • Fractionnez les repas quand il recommence à s'alimenter. • Lavez-vous bien les mains.
À donner	• Solution de réhydratation orale (type Adiaril).
Allô docteur	• S'il vomit plusieurs fois de suite et/ou s'il a en plus la diarrhée.

TRUCS DE PARESSEUSE

• Stockez les médicaments dans un endroit sec et tempéré, hors de portée de bébé.

• Gardez les ordonnances dans son carnet de santé. • Vérifiez régulièrement les dates de péremption.

La pharmacie de base

- Des sachets de réhydratation orale
- Du paracétamol (type Doliprane)
- De l'ibuprofène (type Advil)
- Des granules de Chamomilla ou des dosettes de Camillia
- Du gel gingival
- Des granules d'Arnica (pour éviter les gros bleus en cas de chute)
- De l'homéoplasmine (pour les irritations de la peau)
- Une boîte de compresses stériles
- Du coton hydrophile
- Un antiseptique qui ne pique pas
- De l'éosine en minidoses
- Des pansements de toutes tailles, dont des stéristrips
- Un thermomètre auriculaire (+ éventuellement un frontal)
- Un mouche-bébé
- Une solution d'eau de mer en minidoses (pour lui nettoyer le nez)
- Du sérum physiologique en minidoses
- Une crème contre les brûlures (type Biafine)
- Une pommade contre les piqûres d'insectes

	Diarrhée
À faire	• S'il boit au bib', arrêtez de lui donner du lait quelques heures. • S'il « mange », arrêtez les fruits, légumes et laitages et donnez-lui du riz, des pâtes, de la semoule, des carottes cuites, de la compote pomme-coing, une banane écrasée... • Faites-le boire beaucoup. • Lavez-vous bien les mains.
À donner	• Solution de réhydratation orale (type Adiaril).
Plan B(io)	• Faites-lui boire de l'eau de cuisson de riz légèrement sucrée. • Ajoutez un peu d'arrow-root dans ses repas.
Allô docteur	• S'il refuse de boire. • S'il a la diarrhée plusieurs fois par jour. • S'il perd du poids. • S'il a les yeux cernés. • S'il est abattu, amorphe, hagard, pâle... • S'il vomit aussi.

	Constipation
À faire	• Faites un biberon sur deux avec de l'Hépar. • Ajoutez des épinards dans sa purée. • Arrêtez les carottes, les pommes, les bananes et le chocolat. • Donnez-lui des pruneaux ou des abricots secs à grignoter.
À donner	• Des ampoules de jus de pruneau.
Allô docteur	• Si bébé continue à faire moins de 3 cacas par semaine.

	Rhume • Bronchiolite
À faire	• Nettoyez-lui bien et régulièrement le nez. • Surélevez légèrement son matelas. • Baissez la température de sa chambre à 18 °C. • Faites-le boire souvent. • Fractionnez ses repas s'il a du mal à manger. • Lavez-vous bien les mains. • Soignez-vous si vous êtes vous-même enrhumée.
À donner	• Du paracétamol (type Doliprane).
Plan B(io)	• De l'huile essentielle de lavande à diffuser 10 minutes dans sa chambre (pas en sa présence et s'il a plus de 4 mois).
Allô docteur	• Si ça ne s'arrange pas dans les 24 heures. • S'il a du mal à respirer. • Si sa respiration est rapide et sifflante. • S'il a du mal à manger.

	Otite
À faire	• Mouchez bien bébé. • Traitez les éventuels reflux. • Allez faire une promenade pour lui changer les idées.
À donner	• Le traitement prescrit par votre médecin.
Allô docteur	• Voyez un homéopathe si les traitements classiques ne font rien.

22

AUX PLAISIRS DE LA TABLE, TU L'INITIERAS

•

*Ça y est, votre pédiatre vous a donné le feu vert :
vous pouvez commencer la diversification
alimentaire. Du coup, vous avez sorti
votre Babycook, ouvert votre livre de recettes
pour bébé et concocté une délicieuse purée
de courgettes au cerfeuil. Stupeur et tremblement
de bébé qui vous recrache tout à la figure, indigné.
En attendant qu'il vous réclame des pâtes
et des frites à tous les repas, voici comment
en faire un fin gourmet... ou un gros gourmand !*

aujourd'hui, tu vas manger avec une cuillère... tu veux la toucher ? ...

Rien ne presse

Bien sûr que vous avez hâte de lui faire découvrir mille et une saveurs... Encore faut-il qu'il soit prêt et ça, c'est loin d'être évident. En fait, au début, il faut juste faire des tests pour voir sa réaction et l'habituer progressivement aux multiples goûts des aliments. Et c'est tout. Alors, s'il n'est pas enthousiasmé par le concept de la diversification alimentaire, ce n'est pas grave ! N'en faites pas une histoire de principes avec tout ce que ça comporte de séances de bras de fer, de cris et de pleurs.

MATÉRIEL DE BASE POUR FAIRE MANGER BÉBÉ

• 7 bavoirs en éponge

• 2 bavoirs en plastique souple avec récupérateur intégré

• Des toutes petites cuillères en plastique mou (pour commencer)

• Des bols en plastique

• Une tasse à bec antifuites

• Un Babycook (indispensable quand on l'a essayé !)

• Une chaise haute aux normes de sécurité.

LES TRUCS POUR QUE ÇA SE PASSE BIEN

• Introduisez les aliments un par un sans les mélanger.

• N'hésitez pas à repasser au biberon pendant quelques jours si l'essai n'est pas concluant.

• Gardez 4 biberons (ou tétées) par jour au début, puis faites disparaître progressivement celui de midi, puis celui du soir et/ou du goûter et enfin, celui du matin.

• À chaque étape, prenez votre temps. Rien ne presse.

• Dès que ce sera possible, mangez en même temps que lui pour lui donner l'exemple.

• Respectez son appétit : s'il n'a plus faim, il n'a plus faim. Point barre.

• Incitez-le à manger tout seul.

• N'en faites pas une affaire personnelle : non, ce n'est pas vous qu'il rejette, c'est juste sa purée d'épinards.

**UNE PARESSEUSE
AVERTIE
EN VAUT DEUX**

Jusqu'à un an, l'aliment
essentiel pour bébé est…
le lait !

✸ *La bonne marche à suivre*

S'il est habitué au biberon, avant de lui poser un bol entier
de purée sous le nez, commencez par mettre une cuillère
de petit pot à la carotte dans son biberon du midi. Si ça passe,
recommencez l'opération le lendemain et augmentez ainsi
progressivement les doses en baissant simultanément celles
de lait. Puis passez à une autre saveur.

Sinon, tentez direct la petite cuillère. La première fois, c'est sûr,
vous aurez droit à une grimace. N'insistez pas. Attendez le
lendemain pour recommencer. S'il déteste un aliment, essayez-en
un autre en vous aidant du tableau ci-après. S'il bloque avec
les légumes, faites-lui goûter une compote. L'important, à ce
stade, c'est de lui faire goûter des choses qu'il aime pour aiguiser
sa curiosité, pas de lui apprendre l'art d'un repas équilibré.

*✸ Collez ici une photo de bébé
goûtant sa première purée.*

✳ *La conservation des aliments*

Dans quelques semaines, vous pourrez enfin vous éclater avec votre Babycook. Et qui dit « Babycook » dit « fruits et légumes frais » (bio, de préférence). Le problème, c'est qu'ils se gâtent très vite (voir le tableau ci-dessous). La solution ? Tout cuisiner d'un coup et congeler les soupes et autres purées en petites portions (dans des bacs à glaçons, par exemple). Et puis, ayez quelques petits pots sous le coude pour vous dépanner.

TRUCS DE PARESSEUSE

• Si vous ne pouvez pas acheter bio, achetez des fruits et légumes de saison, et lavez-les et épluchez-les bien.

• Pas le temps de faire le marché ? Achetez vos fruits et légumes surgelés sous la forme la plus simple possible.

• Pas le temps de cuisiner ? Faites-vous offrir une centrifugeuse pour faire des jus de fruits ou des soupes de légumes pleines de bonnes choses.

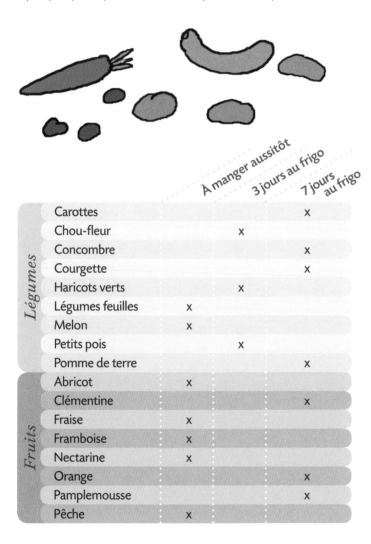

		À manger aussitôt	3 jours au frigo	7 jours au frigo
Légumes	Carottes			x
	Chou-fleur		x	
	Concombre			x
	Courgette			x
	Haricots verts		x	
	Légumes feuilles	x		
	Melon	x		
	Petits pois		x	
	Pomme de terre			x
Fruits	Abricot	x		
	Clémentine			x
	Fraise	x		
	Framboise	x		
	Nectarine	x		
	Orange			x
	Pamplemousse			x
	Pêche	x		

(Vous en avez rêvé, on vous l'a fait !)

	5 mois	6 mois	7 mois	8 mois	9 mois	10 mois	1 an	Mode d'emploi
Artichaut					X			Uniquement le cœur en purée pour commencer
Asperge		X						En potage pour commencer
Aubergine		X						En purée
Avocat				X				Bien mûr et écrasé
Betterave						X		En crudités
Brocoli		X						En purée pour commencer
Carotte	X							En purée puis moulinée
Céleri					X			En purée pour commencer
Céleri-rave			X					En purée puis en remoulade
Champignons			X					Cuits et à petites doses
Chou					X			En purée
Chou-fleur				X				En purée puis en crudités
Concombre		X						En potage puis en crudités
Courgette		X						En purée puis en gratin (sans la peau et les pépins)
Cresson			X					En potage
Endive			X					Émincée
Épinards	X							En petits pots puis en purée
Haricots verts	X							En petits pots, en purée puis en salade
Laitue		X						En potage et/ou cuite et mixée avec d'autres légumes
Lentilles						X		De préférence des lentilles orange car elles sont plus tendres
Navet					X			En purée puis cuit et écrasé
Oignon					X			En petites quantités
Petits pois					X			En conserve et écrasés
Poireau		X						En potage, en purée (uniquement le blanc pour commencer) puis en vinaigrette
Pois cassés						X		En purée
Poivron						X		Grillé sans la peau
Pomme de terre	X							En petites quantités pour servir de liant
Potiron	X							En purée
Tomate	X	X				X		En soupe, en purée puis en petits dés (sans la peau et les pépins)

Légumes

		5 mois	6 mois	7 mois	8 mois	9 mois	10 mois	1 an	Mode d'emploi
Fruits	Abricot		x						En petit pot puis en compote
	Ananas		x						En petit pot puis frais
	Banane	x	x						En petit pot, en compote puis écrasée
	Cerises		x						En compote (mélangées avec de la pomme)
	Fraises		x						En petit pot puis crues
	Fruits de saison			x					Bien mûrs (écrasés à la fourchette) ou cuits et mixés
	Fruits secs						x		En compote (avec un peu de fromage blanc)
	Kiwi						x		En petits morceaux
	Pêche	x							En petit pot puis en compote
	Poire	x							En petit pot puis en compote
	Pomme	x							En petit pot, en compote puis crue et râpée
Protéines*	Jambon blanc		1 à 2	2 à 3	3 à 4				Sans le gras
	Œuf				½ jaune			entier	Attention au blanc qui est allergisant
	Poisson blanc			1 à 2	2 à 3	3 à 4			Filets de limande, dos de cabillaud, sabre
	Poisson gras					1 à 2	2 à 3	3 à 4	Saumon, maquereau
	Viande blanche			1 à 2	2 à 3	3 à 4			Poulet, dinde...
	Viande rouge					1 à 2	2 à 3	3 à 4	Bœuf, agneau
Laitages	Fromage			x					1 petite part (chèvre doux, emmental, gruyère)
	Fromage frais					x			1 carré (pas trop salé)
	Petit-suisse		x						1 par jour
Féculents	Crème de riz	1	2	3	4				Ou de la semoule de riz pour l'habituer aux petits morceaux
	Céréales infantiles	1	2						Dans le biberon du soir (et du matin, si besoin)
	Pâtes					x			Des petites nouilles pour commencer
	Riz						x		De préférence complet
	Quinoa, boulgour						x		De préférence bio
Divers	Biscuits						x		À petites doses
	Galettes de blé					x			Une au goûter
	Pain				x				Un croûton dur

* Nombre de fois par jour (Unité de mesure : 1 petite cuillère)

Et bien sûr, limitez au maximum les quantités de gras, de sucre et de sel.

23

SANS LE STRESSER,
TU L'ÉVEILLERAS

•

*Futur Mozart, futur Einstein ou futur maître
du monde ? Allez, avouez-le, vous avez
de grands rêves pour votre bébé. Et vu le nombre
de jouets éducatifs que vous avez reçus,
vous n'êtes pas la seule : tableaux d'éveil
bilingues, livres interactifs, consoles éducatives,
escargot baladeur pour l'inciter à se déplacer...
Et si on faisait le point là-dessus avant que
vous l'inscriviez à un cours de baby-karaté ?*

le chat il fait miaou miaou, le canard il fait coin coin, le lion, il s'approche et il rugit GRAOOUW

GRAOOW

Aucun bébé ne se développe au même rythme, d'autant plus que ça turbine à tous les étages : relationnel, intellectuel, moteur, psychologique. Certains sauront marcher à 10 mois tandis que d'autres ne lèveront le nez de leur imagier pour marcher que vers 18 mois. Alors cessez de comparer votre bébé aux autres.

Son premier jeu d'éveil ? Vous !

Aucun jouet aussi bien conçu soit-il ne vous remplacera. En parlant, vous faites des sons que bébé écoute et aime depuis des mois. Et puis, il y a votre bouche qui fait des ronds, des sourires, vos sourcils qui s'agitent comme deux chenilles, vos narines qui palpitent, vos yeux qui bougent sans arrêt... Bref, vous êtes un spectacle permanent, spectacle dont il va apprendre beaucoup de choses, notamment exprimer ses sentiments, rire, parler... Alors plutôt que de lui agiter une peluche sous le nez, parlez-lui doucement, de tout et de rien, avec force expressions de visage. Et n'oubliez pas de le « tripoter » car il n'y a, là encore, rien de mieux que les caresses et les câlins pour éveiller un tout petit bébé.

À CHAQUE ÂGE, SON JOUET

- **Naissance :** vous, un mobile au-dessus de son lit, vous, vous, vous.

- **À partir de 3 mois :** un hochet, une girafe qui couine quand on appuie dessus, un jouet mou avec différentes sortes de tissus à tripoter, un portique pour son landau... et toujours vous.

- **À partir de 6 mois :** un tapis d'éveil, un arrosoir et un canard pour le bain, des livres en carton ou en tissu, un anneau de dentition et encore vous pour chanter, danser, faire comme Diego dans *L'Âge de Glace* : « Où il est, le bébé ? Ah, le voilà ! »

- **À partir de 9 mois :** un ballon, des jouets sur lesquels il peut agir : cubes, tableau d'éveil, téléphone, jouet musical (avec un volume réglable), un chariot stable pour ranger ses jouets et commencer à se déplacer... et encore vous pour apprendre des mots.

BRAVO ! tu marches !

allez ! recommence

✳ *Du rêve à la réalité...*

Dans vos rêves, sa chambre ressemblait à un magasin Éveil & Jeux avec ce qu'il y a de mieux en jouets intelligents et, si possible, écologiquement corrects... Jusqu'au jour où il a failli s'ouvrir l'arcade sourcilière avec son hochet en bois, s'étouffer avec la bourre de son doudou artisanal et tenter de se mettre les haricots secs de ses maracas *home-made* dans le nez. Si le marché du jouet est si florissant, ce n'est pas un hasard : c'est qu'il produit des jouets hyperadaptés aux besoins de bébé et conformes aux normes de sécurité. Le tout, c'est d'arriver à faire le tri entre le vraiment utile et le gadget. La liste ci-contre vous y aidera.

✚ TRUCS DE PARESSEUSE

- Félicitez-le chaudement à chaque nouveau progrès.
- Au lieu d'appuyer sur l'accélérateur, freinez des quatre fers pour accompagner votre bébé à son rythme. Et même comme ça, dans 10 ans, vous vous direz que c'est passé trop vite !

Et les échecs, on les commence quand ?

Ces dernières années, on a vu apparaître une nouvelle sorte de parents : les « parents hélicoptères », des parents qui gravitent sans arrêt au-dessus de leur bébé et leur envoient stimulation sur stimulation dans l'espoir secret d'en faire un génie ou, plus humblement, le premier de la classe. Ils dégainent alors l'artillerie lourde : DVD en VO dès 6 mois, éveil musical à 9, parcours motricité à 10. Tourneboustouille, quelle pression ! Et quelle fatigue pour vous ! Fatigue bien inutile, car il a été prouvé maintes fois qu'on ne fait pas des surdoués comme ça. On fait juste des enfants stressés. Alors on se relaxe et on lui donne un cadre éducatif standard en lui parlant, en jouant avec lui, en lui lisant des livres et en le laissant tout bêtement vous observer.

Collez ici une photo de bébé
avec son jouet préféré.

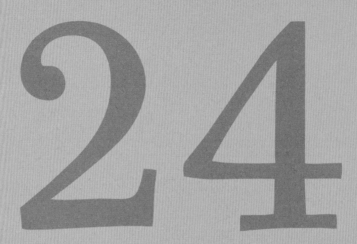

SES PREMIERS PAS, TU GUIDERAS

•

Vous en avez rêvé, bébé l'a fait.
Après avoir testé quelques techniques très
personnelles (sur les fesses en marche arrière,
en se tortillant comme un serpent,
sur le côté genre « nage indienne »,
à quatre pattes les jambes tendues...),
bébé en bon hominidé qui se respecte
s'est redressé et commence
à comprendre l'usage de ses pieds.
Tous aux abris !

LE BON ÉQUIPEMENT

- Les cache-prises
- Les coins de meubles
- Une barrière de sécurité
- Un parc
- De bonnes chaussures de marche
- Éventuellement des bloque-portes et des bloque-tiroirs
- Un tube d'Arnica 9CH

✳ *Les mesures à prendre d'urgence*

Vous l'avez sans doute compris : maintenant que bébé se déplace, finie la tranquillité. En plus des risques de chute avec son lot de bosses et de bleus, il y a les risques d'accidents vraiment graves. Pour les éviter, repérez tous les dangers potentiels de votre intérieur et prenez les mesures qui s'imposent : médicaments et produits ménagers en hauteur, couteaux et autres objets tranchants dans un tiroir bloqué par un système de sécurité, prises de courant sécurisées, barrière dans la cage d'escalier, pare-feu près de la cheminée, pas de meuble sous les fenêtres si vous habitez en étage, les poignées des casseroles tournées vers le mur quand vous cuisinez, les allumettes et les briquets cachés... et un parc pour l'y poser et pouvoir l'oublier 5 minutes.

⮕

TRUCS DE PARESSEUSE

• Pour savoir si ses chaussures sont à la bonne pointure, vérifiez que vous pouvez glisser le doigt entre son talon et le contrefort.

• Achetez sa première paire de chaussures dans un magasin spécialisé puis, une fois que vous aurez repéré les marques qui lui conviennent, achetez les suivantes sur Internet sur des sites de ventes privées.

✳ *L'équipement du héros*

Maintenant que la zone est sécurisée, passons à bébé, car lui aussi doit être préparé. Même s'il peut faire ses premiers pas pieds nus (c'est même mieux), il va vite avoir besoin de l'outil nécessaire à tout grand marcheur : de bonnes chaussures. Comment les reconnaître ? Elles combinent maintien du pied et de la cheville, soutien de la voûte plantaire, confort (elles doivent être en cuir et à semelles souples) et prix égal au PIB de la Grèce... ce qui veut dire « crise cardiaque de votre banquier ». Voilà. Vous êtes prévenue. Et lui aussi, au passage.

✚ UNE PARESSEUSE AVERTIE EN VAUT DEUX

Ne lui mettez pas des chaussures d'occasion car elles se sont faites aux pieds de leur utilisateur précédent et ne lui conviendront donc pas.

✳ *Comment l'aider*

Maintenant, il faut tout faire pour que bébé ne se fasse pas de grosses frayeurs avec le risque que ça stoppe net ses envies d'indépendance. Dégagez bien le passage car il n'en est pas encore au stade de savoir éviter les obstacles et laissez à sa portée un meuble sur lequel il peut prendre appui. Placez-vous à quelques pas de lui et tendez-lui les mains ou son doudou. S'il tombe sans se faire mal, encouragez-le à recommencer. S'il tombe en se faisant mal, réconfortez-le et incitez-le à recommencer. Et s'il préfère se remettre à quatre pattes, n'insistez pas. Il refera un essai plus tard, dans quelques heures, quelques jours, quand il sera prêt, car comme dit le grand penseur Michael Schumacher : « il faut parfois rétrograder pour mieux repartir ». Et surtout, au lieu de lui faire des blagues douteuses du genre « je recule d'un pas quand tu arrives », prenez-le dans vos bras et félicitez-le chaudement.

✳ *Et maintenant : galopez !*

Comme tous les jeunes parents, vous allez maintenant adopter la posture dite « du pingouin lombalgique » : dos cassé en deux, démarche dandinante, les bras tendus vers un bébé calé entre les jambes et si fier de marcher qu'il ne veut plus s'arrêter. La classe ! Profitez-en pour lui montrer comment passer les obstacles (on descend les marches les pieds en premier... et non la tête, ceci est une baie vitrée et non un rideau transparent...) et prenez rendez-vous chez votre ostéo !

✳ Collez ici une photo de bébé faisant ses premiers pas.

SPÉCIAL JEUNE PAPA PARESSEUX !

*Si vous aviez subi le dixième des désagréments
et douleurs physiques que votre chérie se cogne
depuis près d'un an (un mix d'Alien et
de Very Bad Trip – pour l'agonie, pas la fiesta),
vous seriez recroquevillé dans le coin d'une pièce
capitonnée et hurleriez chaque fois que
quelqu'un voudrait vous approcher.
D'où ces pages spéciales pour vous aider
à comprendre ce qui se passe
et à trouver votre place dans ce nouveau
et néanmoins magnifique trinôme.*

c'est un peu comme si j'avais une nouvelle femme

UN PARESSEUX INFORMÉ EN VAUT DEUX

Le baby blues n'est pas l'apanage des jeunes mamans. Certains papas le ressentent aussi sans qu'on puisse blâmer les hormones. Dans ce cas, la tempête est mentale : la peur de ne pas assurer, l'angoisse d'être en charge financièrement d'une famille, la difficulté de s'y faire une place… C'est courant même si on en parle peu. Confiez-vous à un copain déjà papa ou à votre médecin.

✳ *Ma chérie, cette inconnue…*

C'est simple, vous ne la reconnaissez pas. Certes, vous vous attendiez à ce qu'elle change… mais pas à ce point ! En quelques mois, la jeune femme drôle et pêchue dont vous êtes tombé amoureux s'est transformée en zombie pleurnichard. Entre nous et si ça peut vous consoler, elle non plus ne se reconnaît pas. Alors au lieu de lui sauter dessus du genre « chouette, tu viens d'accoucher, on va enfin pouvoir refaire l'amour », maniez-la avec tendresse et précaution.

✳ *Le deuxième pilier*

Non, tout ne repose pas sur la maman ! Les bébés ont aussi besoin de leur papa pour grandir et se développer, d'où l'importance de trouver votre place à ses côtés. Si, comme beaucoup, vous venez à peine de comprendre ce qui vient de vous arriver et que vous avez peur de « mal faire », faites-vous expliquer le b.a.ba des soins (bain, habillage, repas…) dès les premiers jours à la maternité pour en repartir aussi qualifié que votre chérie. Et si tout ne vous comble pas de joie (on sait, pour les couches…), trouvez des gestes, des activités que vous aimez faire avec votre bébé : lire votre journal en le tenant pelotonné contre vous, ou sortir vous promener avec lui. Prenez aussi le temps de le regarder, de le caresser, de lui parler…

Femme Nouvelle ! Il faut que je vous teste ! pour voir si vous êtes aussi douée que la précédente… peut-être même meilleure…

Et surtout, gardez-vous bien de…

• Accepter une promotion.

• Changer de travail.

• Rapporter du travail à la maison.

• Vous lancer dans des grands travaux.

• Vous investir à 120 % dans votre travail pour « subvenir aux besoins de votre famille » : les premiers temps, les jeunes mamans paresseuses ont besoin d'aide et de soutien, pas de plus d'argent.

• Penser que vous êtes le seul à être crevé : occupez-vous tout seul de votre bébé 48 heures et vous comprendrez.

✱ *La reconquête*

Maintenant que vous avez trouvé votre place, près de votre bébé, voici quelques trucs pour reconquérir votre douce… en douce :

• **Protégez-la** : limitez les visites à la maternité et chez vous pour qu'elle puisse se reposer et calmez les ardeurs festives de vos amis.

• **Rassurez-la** : dites-lui que vous la trouvez belle et attendrissante en jeune maman, qu'elle a l'air épanouie malgré la fatigue, qu'elle s'en sort très bien (même si la maison semble avoir subi un tsunami)…

• **Écoutez-la** : même si concrètement vous ne pouvez rien y faire, laissez-la vous parler de sa fatigue, de ses doutes, de ses difficultés.

• **Dorlotez-la** : revenez, le soir, avec un plateau de sushis ou un petit bouquet de fleurs, organisez une virée à deux même si c'est juste au cinéma, déposez un tendre bisou dans son cou…

• **Aidez-la** : même si vous travaillez beaucoup, faites les courses, un peu de ménage, du rangement… Non seulement ça permettra à votre chérie de souffler un peu, mais ça entretiendra votre complicité.

• **Ne la brusquez pas** : autant vous pouvez tout à fait lui dire que vous la désirez, autant il ne faut pas lui mettre la main dans le soutien-gorge à la moindre occasion. Patience, patience, ça reviendra… et ce sera tellement bon !

✚ Trucs de paresseux

• Lisez aussi « Ton couple, tu chouchouteras » pp. 86-87, ça peut vous aider.

• Si, pour des raisons professionnelles, vous ne pouvez pas vous permettre de donner le biberon de nuit, donnez le dernier biberon du soir et obligez votre chérie à se coucher tôt.

• Faites de votre mieux et pas « comme il faudrait » et vous verrez, très vite, vous serez un expert !

😊 *Collez ici une photo de vous avec votre bébé.*

LES PREMIÈRES FOIS DE BÉBÉ

Bientôt 1 an… et encore tant de petits et grands événements à immortaliser !

Ses premières vacances

DATE

RACONTEZ

Ses premières bêtises

DATE

RACONTEZ

Date

Racontez

Date

Racontez

Dans la même collection

**Retrouvez également dans la collection
des Petits Guides des Paresseuses :**
La Grossesse des Paresseuses (Anna Deville)
Jeune Maman et Paresseuse (Frédérique Corre-Montagu)

Création graphique
Noémie Levain

Imprimé en Espagne par Macrolibros
ISBN : 978-2-501-07231-1
Dépôt légal : mai 2012
40.7637.8/03